D0590801

# DE VERGISSING VAN MAIGRET

Van Simenon verschenen eveneens:

*Maigret in Holland*
*Maigret en het lijk bij de sluis*
*Maigret*
*Maigret en de moord op de Quai des Orfèvres*
*Maigret en zijn dode*
*Maigret op kamers*
*Maigret en de minister*
*Maigret en het lijk zonder hoofd*
*Maigret incognito*
*Maigret op reis*
*Getuige Maigret*
*Maigret en het spook*
*Maigret aarzelt*
*Maigret en hotel Étoile du Nord*

Romans

*45° in de schaduw*
*De man die de treinen voorbij zag gaan*
*De weduwe Couderc*
*Het bloedspoor in de sneeuw*
*Schele Marie*
*De horlogemaker van Everton*
*Zondag*
*De trein*
*De anderen*
*De blauwe kamer*
*De voortvluchtige*
*De verloofdes van meneer Hire*

# Simenon

# *De vergissing van Maigret*

*vertaald door Matthieu Kockelkoren*



PANDORA

Pandora Pockets maakt deel uit van Contact BV
Deze uitgave verschijnt in samenwerking met Uitgeverij Atlas, Amsterdam

Oorspronkelijke titel: *Maigret se trompe*

Redactionele begeleiding: Penta Taal, Zeist

Omslagontwerp: Studio Jeroen van den Boom, Arnhem
Omslagillustratie: © Kees Scherer/MAI Amsterdam

ISBN 90 254 1768 X
NUR 302

www.boekenwereld.com

# *Hoofdstuk 1*

Het was vijf voor halfnegen in de ochtend en Maigret stond op van tafel terwijl hij zijn laatste kop koffie uitdronk. Het was pas november en toch was het licht al aan. Bij het raam probeerde mevrouw Maigret door de mist heen de voorbijgangers te onderscheiden, die zich met de handen in de zakken en met gebogen rug naar hun werk spoedden.

'Je kunt maar beter je dikke jas aantrekken,' zei ze.

Want het was haar wel duidelijk wat voor weer het was, als ze de mensen buiten op straat zo bekeek. Ze liepen allemaal vlug die ochtend; veel mensen hadden een das om, stampten karakteristiek met hun voeten op het trottoir om warm te worden, en ze had er ook al een paar gezien die hun neus snoten.

'Ik pak hem wel voor je.'

Hij had zijn kopje nog in de hand toen de telefoon ging. Toen hij opnam keek hij ook naar buiten. De huizen aan de overkant waren bijna onzichtbaar door de gelige nevel die 's nachts over de straten was neergedaald.

'Hallo! Commissaris Maigret?... Met Dupeu, van het Quartier des Ternes...'

Vreemd dat juist commissaris Dupeu hem belde, want het was uitgerekend de man die het best paste bij de sfeer van die ochtend. Dupeu was commissaris van politie in de rue de l'Etoile. Hij was scheel. Zijn vrouw was scheel. En het verhaal ging dat zijn drie dochters, die

Maigret niet kende, ook scheel waren. Het was een plichtsgetrouwe ambtenaar, die het allemaal zó goed wilde doen dat hij er bijna op afknapte. Zelfs alles in zijn nabije omgeving kreeg iets triestigs en al wist je best dat het een doodgoeie kerel was, toch liep je het liefst met een grote boog om hem heen. Nog afgezien van het feit dat hij 's zomers en 's winters continu verkouden was.

'Neemt u me niet kwalijk dat ik u thuis stoor. Ik dacht dat u nog niet weg zou zijn en ik zei bij mezelf...'

Er zat niets anders op dan af te wachten. Hij moest nu zijn ei kwijt. Hij moest zich eeuwig en altijd rechtvaardigen, alsof hij voortdurend iets op zijn kerfstok had.

'Ik weet dat u graag persoonlijk ter plekke bent. Ik kan me natuurlijk vergissen maar ik heb de indruk dat we iets speciaals aan de hand hebben. Het fijne weet ik er uiteraard nog niet van want ik ben hier ook nog maar net.'

Mevrouw Maigret wachtte met de jas in de hand en haar man zei heel zachtjes tegen haar, voor ze haar geduld zou gaan verliezen: 'Dupeu!'

De ander ging met monotoon stemgeluid verder: 'Ik kwam zoals gewoonlijk om acht uur op mijn bureau en ik was de eerste post aan het doornemen toen ik om zeven over acht een telefoontje kreeg van de werkster. Die had het lijk gevonden toen ze het appartement aan de avenue Carnot binnenging. Omdat het toch vlakbij was ben ik er met mijn assistent op afgegaan.'

'Moord?'

'Het zou desnoods voor zelfmoord door kunnen gaan, maar voor mij staat het vast dat het moord is.'

'Wie?'

'Ene Louise Filon, mij verder onbekend. Een jonge vrouw.'

'Ik kom eraan.'

Dupeu begon weer te praten, maar Maigret deed alsof hij dat niet merkte en hing op. Voordat hij ging, belde hij naar de Quai des Orfèvres en liet zich doorverbinden met de Identificatiedienst.

'Is Moers daar? Ja, geef hem even...Hallo! Ben jij het Moers? Wil je met je mannen naar de avenue Carnot toe gaan? Moord... Ik ben er ook...'

Hij gaf hem het nummer van de flat, trok zijn jas aan en even later was er op straat een donker silhouet bijgekomen dat zich met haastige stappen een weg door de mist baande. Pas op de hoek van de boulevard Voltaire vond hij een taxi.

De avenues rondom Etoile waren bijna verlaten. Vuilnisbakken werden opgehaald. De meeste gordijnen waren nog dicht en er waren maar weinig ramen verlicht.

Op de avenue Carnot stond een agent met een schoudermantel om op het trottoir, maar er was geen oploopje, niet één nieuwsgierige kijker.

'Welke etage?' vroeg Maigret hem.

'De derde.'

Hij liep door een poort met blinkend gepoetste koperen knoppen. In de loge waar het licht aan was zat de conciërge te ontbijten. Ze keek hem aan door de ruit maar stond niet op. De lift werkte geruisloos, zoals in elk goed onderhouden huis. De lopers over het geboend eiken van de trap waren mooi rood.

Op de derde verdieping stond hij voor drie deuren en hij aarzelde toen de deur links opengig. Daar was Dupeu, met een rode neus zoals Maigret al verwacht had.

'Komt u verder. Ik ben maar nergens aangekomen zolang u er nog niet was. Ik heb zelfs de werkster nog niets gevraagd.'

Via de vestibule met alleen maar een kapstok en twee stoelen kwamen ze in een salon waar alle lampen aan waren.

'De werkster had het al gek gevonden dat er licht aan was.'

In de hoek van een gele canapé zat een jonge vrouw met bruin haar merkwaardig ineengezakt, met een grote donkerrode vlek op haar peignoir.

'Ze heeft een kogel door haar hoofd gekregen. Het schot is kennelijk van achter afgevuurd, van heel dichtbij. Zoals u ziet is ze niet gevallen.'

Ze was alleen maar naar rechts weggezakt, haar hoofd voorover, en haar haren raakten bijna het tapijt.

'Waar is de werkster?'

'In de keuken. Ze vroeg of ze een kop koffie mocht maken. Volgens haar is ze hier om acht uur binnengekomen, zoals iedere ochtend. Ze heeft de sleutel van het appartement. Ze ging dus naar binnen en zag toen het lijk. Ze beweert dat ze niets heeft aangeraakt en meteen heeft opgebeld.'

Nu pas drong het tot Maigret door wat hem bij zijn aankomst zo was opgevallen. Normaal had hij zich op de stoep een weg moeten banen door een schare kijkers. Meestal staan er ook huurders te gapen in het trappenhuis. Maar hier was alles even rustig alsof er niets aan de hand was.

'Is daar de keuken?'

Hij vond hem aan het eind van een gang. De deur stond open. Een donker geklede vrouw met zwarte haren en ogen zat bij het gasfornuis koffie te drinken en blies over het brouwsel om het wat af te laten koelen.

Maigret had de indruk haar al eens eerder gezien te

hebben. Met gefronste wenkbrauwen nam hij haar op; ze keek rustig terug en dronk gewoon door. Ze was heel klein. Zoals ze daar zat raakten haar voeten nauwelijks de vloer. Ze droeg schoenen die haar te groot waren en haar jurk was te wijd en te lang.

'Ik geloof dat we elkaar al kennen,' zei hij.

Ze antwoordde doodkalm: 'Dat zou best kunnen.'

'Wat is uw naam?'

'Désirée Brault.'

De voornaam Désirée bracht hem op het spoor.

'Bent u vroeger niet eens gearresteerd voor diefstal in warenhuizen?'

'Onder andere.'

'Waarvoor nog meer?

'Ik ben al zo vaak gearresteerd!'

Haar gezicht verraadde niet de minste angst. In feite verraadde het niets. Ze keek hem aan. Ze gaf hem antwoord. Maar het was onmogelijk te zeggen waar ze aan dacht.

'Hebt u in de gevangenis gezeten?'

'Dat kunt u allemaal in mijn strafblad vinden.'

'Prostitutie?'

'Waarom niet?'

Lang geleden natuurlijk. Ze was nu waarschijnlijk tussen de vijftig en de zestig. Ze was geheel verdord. Haar haren waren niet grijs geworden maar wel spaarzaam en je zag de schedel erdoorheen.

'Ik heb betere tijden gekend!'

'Sinds wanneer werkt u in dit appartement?'

'Volgende maand een jaar. Ik ben begonnen in december, vlak voor de feestdagen.'

'Werkt u hier de hele dag?'

'Alleen van acht tot twaalf.'

De koffie rook zo lekker dat Maigret zich een kopje inschonk. Commissaris Dupeu stond er verlegen bij in de deuropening.

'Ook wat, Dupeu?'

'Dank u. Ik heb nog geen uur geleden ontbeten.'

Désirée Brault stond op om zich een tweede kopje in te schenken en haar jurk hing als een zak om haar lijf. Ze kon nooit zwaarder zijn dan een meisje van veertien.

'Werkt u ook nog ergens anders?'

'Een stuk of vier adressen. Dat hangt van de weken af.'

'Woont u alleen?'

'Met mijn man.'

'Ook een bajesklant?'

'Nooit geweest. Hij zuipt alleen maar.'

'Werkt hij niet?'

'Hij heeft de laatste vijftien jaar nog geen dag gewerkt, nog geen spijker in de muur geslagen.'

Ze zei het zonder bitterheid, met een vlakke stem waarin nauwelijks enige ironie te ontdekken viel.

'Wat is er vanmorgen gebeurd?'

Ze knikte in de richting van Dupeu.

'Heeft hij u niets verteld? Goed dan. Ik kwam hier om acht uur.'

'Waar woont u?'

'Vlak bij de place Clichy. Ik kwam met de metro, deed met mijn sleutel de deur open en zag dat er licht was in de salon.'

'Stond de salondeur open?'

'Nee.'

'Was mevrouw gewoonlijk al op als u 's morgens kwam?'

‘Ze stond pas tegen een uur of tien op, soms nog later.’
‘Wat deed ze dan?’
‘Niets.’
‘Ga door.’
‘Ik duwde de salondeur open en toen zag ik haar.’
‘U hebt haar niet aangeraakt?’
‘Ik hoefde haar echt niet aan te raken om erachter te komen of ze dood was. Hebt u wel eens iemand zien rondlopen met een half weggeschoten gezicht?’
‘En toen?’
‘Ik heb de politie gebeld.’
‘Zonder eerst de buren te waarschuwen, of de conciërge?’
Ze haalde haar schouders op.
‘Waarom zou ik die mensen gealarmeerd hebben?’
‘En na dat telefoontje?’
‘Toen wachtte ik af.’
‘Wat deed u intussen?’
‘Niets.’
Het was van een verbijsterende eenvoud. Ze was daar gewoon blijven wachten tot er aangebeld zou worden, misschien was ze alleen maar naar het lijk blijven kijken.
‘Weet u zeker dat u nergens bent aangekomen?’
‘Heel zeker.’
‘Hebt u geen revolver gevonden?’
‘Ik heb niets gevonden.’
Commissaris Dupeu liet zich horen.
‘We hebben overal naar het wapen gezocht maar niets gevonden.’
‘Was Louise Filon in het bezit van een revolver?’
‘Als ze er al een had, heb ik het nooit gezien.’
‘Zijn er meubels die op slot zitten?’

'Nee.'

'Ik neem aan dat u dus weet wat er in de kasten ligt?'

'Ja.'

'En u hebt nooit een wapen gezien?'

'Nooit.'

'Zeg eens, wist uw mevrouw dat u in de gevangenis hebt gezeten?'

'Ik heb haar alles verteld.'

'Daar schrok ze niet van?'

'Ze vond het wel leuk. Ik weet niet of ze zelf ook gezeten heeft, maar het had best gekund.'

'Wat bedoelt u?'

'Voordat ze hier kwam wonen, tippelde ze.'

'Hoe weet u dat?'

'Omdat ze het me zelf verteld heeft. En zelfs als ze het niet verteld had....'

Er waren voetstappen te horen op de overloop en Dupeu maakte de deur open. Het waren Moers en zijn mannen, met hun apparatuur. Maigret zei tegen Moers: 'Begin nog maar niet meteen. Bel eerst de officier van justitie, dan maak ik het intussen hier even af.'

Désirée Brault intrigeerde hem, evenals alles wat er achter haar woorden schuil ging. Omdat hij het warm had deed hij zijn jas uit, ging zitten en dronk met kleine teugjes van zijn koffie.

'Gaat u zitten.'

'Graag. Dat hoort een werkster niet vaak.'

En ditmaal verscheen er bijna een glimlach op haar gezicht.

'Hebt u enig idee wie uw mevrouw zou hebben kunnen vermoorden?'

'Absoluut niet.'

'Kreeg ze veel bezoek?'

'Ik heb hier nog nooit bezoek gezien, behalve een keer de huisarts toen ze bronchitis had. Maar ik ga wel om twaalf uur weg.'

'Kent ze veel mensen, voor zover u weet?'

'Ik weet alleen dat er herenpantoffels liggen in een kast, en een kamerjas. En ook een kistje sigaren. Zelf rookte ze geen sigaren.'

'Weet u ook wie die man is?'

'Ik heb hem nooit gezien.'

'Weet u niet hoe hij heet? Heeft hij nooit gebeld toen u hier was?'

'Soms wel.'

'Hoe noemde ze hem?'

'Pierrot.'

'Werd ze onderhouden?'

'Iemand moest toch de huur betalen of niet soms? En de rest.'

Maigret stond op, zette zijn kopje neer en stopte een pijp.

'Wat moet ik doen?' vroeg ze.

'Niets. Wacht maar.'

Hij ging terug naar de salon waar de mannen van de Identificatiedienst op een seintje van hem wachtten om aan het werk te gaan. De kamer was op orde. In een asbak bij de canapé lagen tussen de sigarettenas drie peukjes waarvan twee met lippenstift.

Via een deur die op een kier stond kwam je van de salon in de slaapkamer en Maigret zag met enige verbazing dat het bed niet was opgemaakt en het kussen een holte vertoonde alsof er iemand geslapen had.

'Is de dokter nog niet geweest?'

'Hij is niet thuis. Zijn vrouw belt de patiënten af die hij vanochtend zou bezoeken.'

Hij maakte een paar kasten en laden open. Qua kleding en ondergoed had de jonge vrouw een slechte smaak, die je niet meteen zou verwachten in een appartement in de avenue Carnot.

'Zorg jij voor de vingerafdrukken en de rest, Moers. Ik ga naar beneden om een praatje te maken met de conciërge.'

Commissaris Dupeu vroeg hem: 'Hebt u mij nog nodig?'

'Nee, bedankt. Geef me uw rapportage maar door in de loop van de dag. U bent heel attent geweest, Dupeu.'

'Ziet u, ik dacht meteen dat het iets voor u was. Als er vlak bij de canapé een wapen had gelegen had ik nog aan zelfmoord kunnen denken, want het schot lijkt van heel dichtbij te zijn gelost. Hoewel dit soort vrouwen zich meestal van kant maakt met veronal. Voor zover ik weet heeft er zich de laatste vijf jaar geen vrouw meer van kant gemaakt met een revolver in deze wijk. Dus toen ik geen wapen zag...'

'Je was fantastisch, Dupeu.'

'Ach, ik doe mijn best en meer kun je...'

Hij bleef doorpraten op de trap. Maigret nam afscheid van hem op de mat voor de deur van de conciërge en ging haar loge binnen.

'Dag mevrouw.'

'Dag commissaris.'

'U weet wie ik ben?'

Ze knikte bevestigend.

'U bent op de hoogte?'

'Ik vroeg ernaar aan de agent die op de stoep staat te posten. Hij vertelde mij dat juffrouw Louise dood is.'

De loge zag er even burgerlijk uit als andere loges in de wijk. De conciërge van om en nabij de veertig was netjes en zelfs elegant gekleed. Ze was vrij knap trouwens, alleen haar gezicht had iets pafferigs.

'Is ze vermoord?' vroeg ze toen Maigret bij het raam ging zitten.

'Hoe komt u daarbij?'

'Ik neem aan dat de politie niet zo'n heisa zou maken als ze gewoon dood was gegaan.'

'Het had zelfmoord kunnen zijn.'

'Dat was niks voor haar.'

'Kende u haar goed?'

'Niet echt. Ze had nooit tijd voor een praatje in mijn loge, maakte hoogstens de deur even open om te vragen of er post was. Ze voelde zich in dit huis niet erg op haar gemak, begrijpt u?'

'Bedoelt u dat ze niet uit hetzelfde milieu kwam als de andere huurders?'

'Ja.'

'Uit wat voor milieu kwam ze dan volgens u?'

'Dat weet ik niet precies. U zult van mij geen kwaad woord over haar horen. Ze was rustig en helemaal niet uit de hoogte.'

'Heeft haar werkster u nooit iets verteld?'

'Mevrouw Brault en ik spreken elkaar niet.'

'Kent u haar?'

'Ik stel er geen prijs op. Ik zie haar naar boven gaan en weer naar beneden komen en dat is wel genoeg.'

'Werd Louise Filon onderhouden?'

'Dat zou kunnen. In ieder geval betaalde ze steeds op tijd de huur.'

'Kreeg ze bezoek?'

'Af en toe.'

'Niet regelmatig?'

'Regelmatig kun je niet zeggen.'

Maigret had de indruk dat ze iets achterhield. In tegenstelling tot mevrouw Brault was de conciërge nerveus en ze keek soms snel naar de glazen deur. Toen riep ze: 'Daar gaat de dokter naar boven.'

'Zeg eens, mevrouw... Hoe heet u eigenlijk?'

'Cornet.'

'Zeg eens, mevrouw Cornet, hebt u soms iets voor mij te verbergen?'

Ze deed haar best hem recht aan te kijken.

'Waarom vraagt u dat?'

'Zomaar. Ik weet het liever meteen. Was het altijd dezelfde man die bij Louise Filon op bezoek kwam?'

'Ik zag altijd dezelfde langskomen.'

'Wat voor soort man?'

'Een muzikant.'

'Hoe weet u dat hij muzikant is?'

'Omdat ik hem een paar keer heb gezien met een saxofoonkoffer onder zijn arm.

'Is hij gisteravond hier geweest?'

'Ja, om een uur of tien.'

'Hebt u hem binnengelaten?'

'Nee. Ik laat de deur open tot ik om elf uur naar bed ga.'

'Maar u ziet wel wie er binnenkomt?'

'Meestal. Het zijn rustige huurders. Bijna allemaal mensen van stand.'

'U zegt dat de muzikant tegen tienen naar boven is gegaan?'

'Ja. Hij is maar een minuut of tien gebleven en toen

hij wegging had hij kennelijk haast, want ik hoorde hem met grote stappen richting Etoile lopen.'

'Hebt u zijn gezicht niet gezien? Was hij misschien opgewonden of...'

'Nee.'

'Heeft Louise Filon niemand anders op bezoek gehad in de loop van de avond?'

'Nee.'

'Dus als de dokter vaststelt dat de moord is gepleegd tussen tien en elf bijvoorbeeld, is het zo goed als zeker dat....'

'Dat heb ik niet gezegd. Ik zei dat ze alleen die man op bezoek heeft gehad.'

'Was die man volgens u misschien haar minnaar?'

'Dat weet ik niet.'

'Wat bedoelt u?'

'Niets. Ik dacht aan de prijs van het appartement.'

'Dat begrijp ik. Zo'n muzikant kan nooit een dergelijk appartement betalen voor zijn liefje?'

'Precies.'

'U lijkt niet erg verbaasd, mevrouw Cornet, dat uw huurster vermoord is.'

'Ik had het niet verwacht maar ik sta er ook niet van te kijken.'

'Waarom?'

'Zomaar. Volgens mij loopt dat soort vrouwen nu eenmaal meer risico. Dat idee krijg je tenminste als je de krant leest.'

'Ik vraag u nu een lijstje te maken van alle huurders die hier gisterenavond na negen uur in en uit zijn gegaan. Ik kom het ophalen als ik wegga.'

'Dat is gemakkelijk.'

Toen hij de loge uitkwam zag hij de officier van justitie en zijn substituut in gezelschap van de griffier uit de auto stappen. Ze schenen het alle drie koud te hebben. De mist was nog niet opgetrokken en iedereen blies er nog een ademwolkje bij.

Handdrukken. De lift. In het flatgebouw heerste afgezien van de derde verdieping nog steeds dezelfde rust als toen Maigret was aangekomen. Er woonden hier geen mensen die door de deur op een kier gluurden wie er de trap op en af ging of op de overloop te hoop liepen omdat er een vrouw was vermoord.

De technici van Moers hadden zo ongeveer overal in het appartement hun apparatuur opgesteld en de dokter had het onderzoek van het lijk afgerond. Hij gaf Maigret een hand.

'Hoe laat?' vroeg de commissaris.

'Zo op het eerste gezicht tussen negen uur 's avonds en middernacht. Ik zou zelfs eerder elf uur aanhouden als limiet dan middernacht.'

'Ik neem aan dat ze meteen dood was?'

'U hebt haar zelf gezien. Het schot werd van dichtbij gelost.'

'Van achter?'

'Van achter, een beetje van opzij.'

Moers kwam tussenbeide.

'Op dat moment was ze waarschijnlijk een sigaret aan het roken die op het tapijt is gevallen en daar is opgebrand. Nog een geluk dat het tapijt geen vlam heeft gevat.'

'Wat is hier eigenlijk precies aan de hand?' vroeg de substituut, die nog van niets wist.

'Ik weet het nog niet. Misschien een doodgewone misdaad, al zou me dat verbazen.'

'Hebt u al een idee?'

'Geen flauw idee. Ik ga maar weer eens praten met de werkster.'

Voordat hij naar de keuken ging, belde hij naar de Quai des Orfèvres en vroeg aan Lucas, die dienst had, om meteen naar hem toe te komen. Daarna liet hij de mannen van het parket en de specialisten die bezig waren met hun routinewerk rustig hun gang gaan.

Mevrouw Brault zat nog steeds op dezelfde plaats. Ze dronk geen koffie meer, maar rookte een sigaret, wat gezien haar kleine gestalte een gek gezicht was.

'Dat mag toch zeker wel?' zei ze toen ze Maigret zag kijken.

Hij ging tegenover haar zitten.

'Vertel maar.'

'Wat moet ik vertellen?'

'Alles wat u weet.'

'Dat heb ik al gedaan.'

'Wat deed Louise Filon zoal overdag?'

'Ik kan alleen maar iets zeggen over de ochtend. Ze stond tegen tien uur op. Of liever, dan werd ze wakker, maar dan kwam ze er nog niet meteen uit. Ik bracht haar koffie, die ze dan met een sigaretje erbij in bed opdronk, en ze las wat.'

'Wat las ze?'

'Tijdschriften, romannetjes. Ze luisterde ook vaak naar de radio; u zult het toestel wel hebben zien staan op haar nachtkastje.'

'Telefoneerde ze niet?'

'Tegen een uur of elf.'

'Iedere dag?'

'Bijna iedere dag.'

'Met Pierrot?'

'Ja. Soms kleedde ze zich tegen twaalven aan om in de stad te gaan eten, maar dat kwam niet vaak voor. Meestal stuurde ze mij naar de slager voor wat koud vlees of een kant-en-klare maaltijd.'

'Weet u helemaal niet wat ze 's middags deed?'

'Ik denk dat ze uitging. Ze ging in ieder geval de straat op want 's morgens zag ik dat haar schoenen vuil waren. Ze zal wel gewinkeld hebben zoals de meeste vrouwen.'

'Dineerde ze niet thuis?'

'Er stond praktisch nooit afwas.'

'Denkt u dat ze naar Pierrot toe ging?'

'Naar hem of naar iemand anders.'

'Weet u zeker dat u hem nooit gezien hebt?'

'Heel zeker.'

'Zag ze ook geen andere mannen?'

'Alleen de man van het gas of een loopjongen.'

'Hoe lang bent u al uit de gevangenis?'

'Zes jaar.'

'En stelen in warenhuizen doet u ook niet meer?'

'Ik ben niet meer zo vlug. Ze zijn nu het lijk aan het weghalen.'

Ze hoorden rumoer in de salon en het waren inderdaad de mannen van de gerechtelijk geneeskundige dienst.

'Ze heeft er niet lang van kunnen profiteren!'

'Wat bedoelt u?'

'Dat ze tot haar vierentwintigste straatarm was en daarna nauwelijks twee goede jaren heeft gehad.'

'Nam ze u wel eens ooit in vertrouwen?'

'Gewoon de kletspraatjes tussen twee vrouwen.'

'Vertelde ze u waar ze vandaan kwam?'

'Ze is geboren in het achttiende arrondissement, op straat, kun je wel zeggen. Het grootste deel van haar leven heeft ze doorgebracht in de wijk La Chapelle. Toen ze hier kwam wonen dacht ze dat het luxe leventje was aangebroken.'

'Was ze niet gelukkig?'

De werkster haalde haar schouders op, keek Maigret aan met iets van medelijden, alsof ze verbaasd was dat hij er zo weinig van snapte.

'Denkt u dat het zo leuk was voor haar hier in huis te wonen waar de mensen haar totaal negeerden als ze haar op de trap tegenkwamen?'

'Waarom kwam ze dan hier?'

'Daar zal ze zo haar redenen wel voor gehad hebben.'

'Werd ze onderhouden door haar muzikant?'

'Wie heeft het over een muzikant gehad?'

'Dat doet er niet toe. Is Pierrot saxofonist?'

'Ik denk het. Ik weet wel dat hij in een dansorkestje speelt.'

Ze vertelde alleen maar wat ze kwijt wilde. Nu Maigret een duidelijkere voorstelling had wat voor soort meisje Louise Filon geweest was, wist hij zeker dat de twee vrouwen 's morgens hun hart bij elkaar uitstortten.

'Ik denk niet,' zei hij, 'dat iemand die in een dansorkestje speelt de huur kan opbrengen voor dit soort appartementen.'

'Ik ook niet.'

'Dus?'

'Dus moest er nog iemand zijn,' merkte ze doodkalm op.

'Pierrot is gisteravond nog bij haar geweest.'

Ze verschoot niet, bleef hem recht in de ogen kijken.

'En u denkt dan zeker meteen dat hij haar vermoord heeft? Ik kan u maar één ding zeggen, die twee hielden echt van elkaar.'

'Dat weet u van haar?'

'Niet alleen hielden ze van elkaar, maar hun liefste wens was om met elkaar te trouwen.'

'Waarom deden ze dat dan niet?'

'Misschien omdat ze geen geld hadden? Misschien ook omdat die ander haar niet losliet?'

'Die ander?'

'U weet even goed als ik dat ik de man bedoel die betaalde. Zo onnozel bent u toch niet?'

Maigret kreeg een inval. Hij liep naar de slaapkamer en maakte de muurkast open. Hij haalde er een paar glacé herenpantoffels uit, op maat gemaakt door een schoenmaker in de rue Saint-Honoré, een van de duurste in Parijs. Toen hij de kamerjas van kastanjebruine zijde van een haakje haalde, zag hij daarin het merk van een herenmodezaak in de rue de Rivoli.

De mannen van Moers waren al vertrokken. Moers zelf wachtte Maigret op in de salon.

'Wat heb je gevonden?'

'Vingerafdrukken natuurlijk, oude en nieuwe.'

'Van een man?'

'Van minstens één man. Over een uur hebben we de afdrukken.'

'Geef ze door aan het archief. Neem deze pantoffels en kamerjas ook mee. Geef ze aan Janvier of Torrence als je op de Quai komt. Ze moeten ermee langs de winkels waar ze vandaan komen.'

'Voor de pantoffels is dat gemakkelijk denk ik, want er zit een serienummer in.'

Er heerste opnieuw rust in het appartement en Maigret ging naar de werkster in de keuken.

'U hoeft hier niet meer te blijven.'

'Kan ik gaan poetsen?'

'Vandaag nog niet.'

'Wat moet ik dan doen?'

'U gaat naar huis. U mag Parijs niet uit. Het zou kunnen dat...'

'Het is al goed.'

'Weet u heel zeker dat u mij niets meer te vertellen hebt?'

'Als me nog iets te binnen schiet, laat ik het wel weten.'

'Nog één vraag: bent u er echt zeker van dat u vanaf het moment dat u het lijk hebt gevonden tot aan het moment dat de politiecommissaris arriveerde niet uit het appartement bent weggeweest?'

'Ik zweer het.'

'En er is niemand geweest?'

'Geen hond.'

Ze nam haar boodschappentas, die ze waarschijnlijk altijd bij zich had, van een haakje en Maigret keek toch nog even of er geen revolver in zat.

'Fouilleer me maar als u daar zin in hebt.'

Hij fouilleerde haar niet maar streek voor alle zekerheid en niet zonder enige gêne met zijn handen langs haar flodderjurk.

'Vroeger zou u dat maar wat graag gedaan hebben.'

Ze liep weg en moest op de trap Lucas zijn tegengekomen, wiens hoed en overjas drijfnat waren.

'Regent het?'

'Al een minuut of tien. Wat zal ik doen, chef?'

'Ik weet het nog niet precies. Blijf maar hier. Als de telefoon gaat moet je er proberen achter te komen waarvandaan er gebeld wordt. Waarschuw het bureau dat ze de lijn aftappen. Snuffel voor de rest nog maar wat rond hier. Het is al gedaan, maar je weet maar nooit.'

'Waar gaat het eigenlijk precies over?'

'Een meisje dat tippelde in de buurt van Barbès en hier door iemand is neergezet. Voor zover we weten speelde haar minnaar in een musetteorkestje.'

'En hij heeft haar vermoord?'

'Hij is gisteravond nog bij haar geweest. Volgens de conciërge is er niemand anders naar boven gegaan.'

'Hebben we zijn signalement?'

'Ik zal beneden de conciërge nog eens horen.'

Die was de post aan het sorteren. Volgens haar was Pierrot een blonde en forse jongeman van voor in de dertig, die meer weg had van een slagersjongen dan van een musicus.

'Meer kunt u me niet vertellen?'

'Meer niet, meneer Maigret. Maar als me nog iets te binnen schiet, laat ik het u nog wel weten.'

Merkwaardig. Hetzelfde antwoord, of bijna, als van de werkster. Hij was ervan overtuigd dat ze allebei, ongetwijfeld om verschillende redenen, nog het een en ander voor hem achterhielden.

Omdat hij waarschijnlijk tot Etoile te voet moest gaan voor er een taxi te bespeuren was, zette hij zijn kraag op en ging hij op pad, met de handen diep in de zakken zoals de mensen die mevrouw Maigret 's morgens vanachter het raam had gezien. De mist was overgegaan in een ijskoude motregen die deed vrezen voor een zware verkoudheid en hij liep een kroegje binnen op de hoek van de straat om een grog te drinken.

# *Hoofdstuk 2*

Janvier hield zich bezig met voornoemde Pierrot en ging zijn doen en laten na tot aan het tijdstip dat de muzikant besloten had in het niets te verdwijnen.

Iets voor halftwaalf had Lucas, die op zijn gemak aan het snuffelen was in het appartement aan de avenue Carnot, eindelijk de telefoon horen overgaan. Hij had opgenomen, vooral niets gezegd en aan de andere kant had de stem van een man gefluisterd: 'Ben jij het?'

Voor hij argwaan kreeg over de stilte die hem tegemoet kwam, had Pierrot nog gezegd: 'Ben je niet alleen?'

En toen, met onrust in zijn stem: 'Hallo! Dit is toch Carnot 22-35?'

'Ja, Carnot 22-35.'

Lucas kon de ademhaling van de man in het toestel horen. Hij belde uit een openbare cel, ongetwijfeld een bar, want hij had het karakteristieke geluid gehoord van een munt die in het metalen bakje valt.

Na korte tijd hing de muzikant op. Nu was nog slechts het wachten op het telefoontje van de man aan de afluisterapparatuur. Het duurde nauwelijks twee minuten.

'Lucas? Jouw mannetje heeft gebeld vanuit een cafétje aan de boulevard Rochechouart, op de hoek van de rue Riquet, dat Chez Léon heet.

Meteen daarna belde Lucas naar het bureau van de Goutte d'Or-wijk, vlak bij de boulevard Rochechouart.

'Kan ik inspecteur Janin even spreken?'

Hij was toevallig net op het bureau. Lucas gaf hem een zo goed mogelijk signalement van Pierrot en de naam van de bar.

'Doe niets voordat Janvier bij je is.'

Hij kreeg eindelijk Janvier aan de lijn. Intussen regende het nog steeds op een wereld van stenen, klinkers en beton waar donkere silhouetten zich gewapend met paraplu's een weg baanden.

Maigret zat op zijn kantoor met zijn stropdas los en vier gestopte pijpen voor zich en hij legde de laatste hand aan een rapport dat voor twaalf uur nog weg moest. Janvier stak zijn hoofd door de deur.

'Hij heeft gebeld, chef. We weten waar hij zit. Lucas heeft de Goutte d'Or-wijk gewaarschuwd en Janin zal er al wel zijn. Ik ga er ook heen. Wat moet ik met hem?'

De commissaris keek hem aan met dikke, vermoeide ogen.

'Lever hem hier maar netjes af.'

'Gaat u niet lunchen?'

'Ik laat broodjes aanrukken.'

Janvier nam een van de zwarte wagentjes van de Centrale Recherche en liet die stoppen op enige afstand van de bar. Het was een smal kroegje, een soort pijpenla, met zoveel wasem op de ruiten dat je niet naar binnen kon kijken. Toen hij de deur openmaakte zag hij Janin al op hem staan wachten achter een vermout-cassis. Met hem erbij waren er maar vijf klanten. De tegelvloer was bestrooid met zaagsel, de muren waren vuilgeel en de telefooncel was naast de toiletten.

'Al weg?'

Janin gaf hem een hand en knikte van ja. De baas die de wijkagent al herkend moest hebben, vroeg Janvier op licht ironische toon: 'Drinkt u iets?'

'Een biertje.'

De klanten zaten ook argwanend te kijken. Janin had natuurlijk al een paar vragen afgevuurd.

'We kunnen praten,' zei hij fluisterend. 'Hij kwam hier om kwart voor elf, zoals elke dag.'

'Weet de baas hoe hij heet?'

'Hij weet alleen dat hij Pierrot heet, muziek maakt en in de buurt moet wonen. Hij komt hier elke ochtend om kwart voor elf voor zijn kopje koffie. Om elf uur is er bijna altijd telefoon voor hem. Vanmorgen werd er niet gebeld. Hij heeft een half uur gewacht en is toen de cel ingegaan. Toen hij daar weer uit kwam keek hij nogal zorgelijk. Hij bleef nog even aan de tap staan, betaalde toen en ging ervandoor.'

'Weten we niet waar hij eet tussen de middag?'

'De baas zegt dat hij geen idee heeft. Heb je me verder nog nodig?'

'Ik weet het niet. Kom, we gaan.'

Eenmaal buiten keek Janvier de rue Riquet in, een kort straatje met de uithangborden van twee hotels die waarschijnlijk dienst deden als rendez-vousgelegenheid.

Als het de gewoonte van Pierrot was om 's morgens koffie te drinken in het kroegje, leek het plausibel dat hij in de buurt woonde.

'Zullen we eens kijken?'

Het eerste hotel heette Hôtel du Var. Rechts van de gang was een kantoortje waar een oude vrouw zat.

'Is Pierrot thuis?'

Janin, die zij natuurlijk ook moest kennen, hield zich

wijselijk even schuil en Janvier was bij de Centrale Recherche ongetwijfeld de man die het minste weg had van een politieagent.

'Hij is ruim een uur geleden vertrokken.'

'Weet u zeker dat hij nog niet terug is?'

'Heel zeker. Ik ben het kantoor niet uit geweest. Zijn sleutel hangt trouwens op het bord.'

Toen zag ze toch Janin die een paar stappen naar voren was gekomen.

'O! Zit het zo! Wat moet u van die jongen?'

'Mag ik het register even hebben? Sinds wanneer woont hij hier?'

'Al meer dan een jaar. Hij huurt de kamer per maand.'

Ze ging het boek halen en begon erin te bladeren.

'Kijk maar. Het gaat hier allemaal strikt volgens de regels.'

Pierrot heette in werkelijkheid Pierre Eyraud, was negenentwintig jaar oud en geboren in Parijs.

'Hoe laat komt hij gewoonlijk weer opdagen?'

'Soms vóór de middag, soms niet.'

'Krijgt hij wel eens damesbezoek?'

'Zoals iedereen.'

'Altijd dezelfde?'

Ze aarzelde niet lang. Ze wist dat Janin haar het leven aardig zuur kon maken als ze geen zoete broodjes bakte.

'U kent haar vast ook wel, meneer Janin. Ze heeft hier lang genoeg in de buurt rondgehangen. Het is Lulu.'

'Lulu wie?'

'Weet ik niet. Voor mij was het altijd Lulu. Een mooie meid die geboft heeft. Ze draagt nu bontmantels en de hele mikmak en ze komt hier met de taxi.'

Janvier vroeg: 'Hebt u haar gisteren nog gezien?'

'Nee, gisteren niet, wel eergisteren. Eergisteren was het toch zondag, niet? Ze kwam iets na twaalven met allerlei kleine pakjes en ze hebben op de kamer gegeten. Daarna zijn ze er arm in arm samen vandoor gegaan, ik denk naar de film.'

'Geef de sleutel maar.'

Ze haalde haar schouders op. Tegenspartelen hielp toch niet.

'Zorg wel dat hij niet merkt dat jullie zijn kamer doorzocht hebben. Daar draai ik dan weer voor op.'

Janin bleef voor alle zekerheid beneden om bijvoorbeeld te voorkomen dat het oude vrouwtje naar Pierre Eyraud zou bellen om hem te waarschuwen. Op de eerste verdieping, waar de kamers waren die per uur of voor nog kortere tijd verhuurd werden, stonden alle deuren open. Daarboven woonden de gasten die per week of per maand betaalden en hoorde je allerlei geluiden achter de deuren; er moest nog een andere muzikant in het hotel zitten, want iemand speelde accordeon.

Janvier ging binnen in kamer 53, met uitzicht op de binnenplaats. Het bed was van ijzer, het vloerkleed versleten en verschoten, net zoals het tafelkleed. Op de wastafel lagen een tandenborstel, een tube tandpasta, een kam, een scheerkwast en een scheermes. Een grote koffer in de hoek stond open en deed dienst als een soort wasmand.

In de muurkast zag Janvier maar één kostuum, een oude broek, een vilten hoed en een pet. Hij had niet meer ondergoed dan een stuk of vier hemden, een paar onderbroeken en wat sokken. Een andere la lag vol met muziekboekjes. Op de onderste plank van het nachtkastje vond hij ten slotte een paar damesmuiltjes en achter de deur hing een kamerjas van zalmkleurige crêpe de Chine.

Toen hij weer naar beneden kwam had Janin inmiddels alle tijd gehad voor een praatje met de hotelhoudster.

'Ik heb het adres van een stuk of drie restaurants waar hij gewoonlijk iets eet tussen de middag.'

Pas op straat noteerde Janvier de adressen.

'Je kunt beter hier blijven,' zei hij tegen Janin. 'Wanneer de kranten uitkomen leest hij wat zijn vriendin is overkomen. Voor zover hij het al niet weet. Misschien komt hij dan nog naar het hotel.'

'Denk je dat hij het is?'

'De chef heeft me niets gezegd.'

Janvier liep eerst naar een Italiaans restaurant aan de boulevard Rochechouart, een rustige, comfortabele zaak waar een kruidige etenslucht hing.

Twee serveerstertjes in het zwart-wit liepen bedrijvig van het ene tafeltje naar het andere, maar niemand beantwoordde aan het signalement van Pierrot.

'Hebt u Pierre Eyraud ook gezien?'

'De muzikant? Nee. Hij is niet gekomen. Wat voor dag hebben we? Dinsdag? Het zou me verbazen als hij nog kwam, het is zijn dag niet.'

Het tweede restaurant van het lijstje was een brasserie, vlak bij het kruispunt op de boulevard Barbès, en ook daar hadden ze Pierrot niet gezien.

Er was nog een laatste mogelijkheid, een eethuis voor chauffeurs met een geelgeverfde voorgevel en het menu op een leitje aan de deur. De baas stond achter de tapkast wijn te schenken. Er bediende maar één meisje, een lange magere lijs, en in de keuken zag je mevrouw staan.

Janvier liep op de zinken tapkast af, bestelde een biertje. De mensen kenden elkaar hier blijkbaar, want hij werd nieuwsgierig opgenomen.

'Tapbier heb ik niet,' zei de baas. 'Hebt u niet liever een glaasje beaujolais?'

Hij knikte van ja, wachtte even en vroeg toen: 'Is Pierrot niet gekomen?'

'De muzikant?'

'Ja. Hij had hier om kwart over twaalf met mij afgesproken.'

Het was kwart voor een.

'Als u om kwart over twaalf was gekomen, had u hem getroffen.'

Er was geen argwaan, het kwam heel naturel over.

'Heeft hij niet op mij gewacht?'

'Hij heeft zelfs zijn bord niet leeggegeten.'

'Kwam iemand hem ophalen?'

'Nee. Hij ging er opeens vandoor, hij zei dat hij haast had.'

'Wanneer was dat?'

'Een kwartier geleden ongeveer.'

Janvier keek de tafeltjes af en zag dat twee klanten onder het eten de middagkrant zaten te lezen. Vlak bij het raam was een tafeltje nog niet afgeruimd. En naast een bord met nog een restant kalfsragoût lag een opengeslagen krant.

'Zat hij daar?'

'Ja.'

Janvier had maar tweehonderd meter in de regen te gaan om bij Janin te komen die nog steeds stond te posten in de rue Riquet.

'Is hij niet thuisgekomen?'

'Niemand gezien.'

'Nog geen half uur geleden zat hij in een restaurantje. Er kwam een krantenventer langs en nadat hij even op de voorpagina had gekeken, is hij er als een haas vandoor gegaan. Ik kan maar beter de chef even bellen.'

Aan de Quai des Orfèvres stond op het bureau van Maigret een blad met twee enorme stukken stokbrood en twee glazen bier. De commissaris luisterde naar het verslag van Janvier.

'Probeer erachter te komen wat de naam is van die danstent waar hij werkt. De hotelhoudster zal dat wel weten. Het kan nooit ver uit de buurt zijn. En Janin moet het hotel in de gaten blijven houden.'

Maigret had gelijk. De hotelhoudster wist het. Ook zij had de krant op haar kantoortje, maar ze had nog niet de link gelegd tussen de Louise Filon die vermeld werd en de Lulu die ze kende. Er stond trouwens in die eerste editie niet meer dan:

> *Een zekere Louise Filon, zonder beroep, is vanochtend dood aangetroffen door haar werkster in een appartement aan de avenue Carnot. Ze werd gedood door een van dichtbij afgevuurd revolverschot, vermoedelijk gisteren in de loop van de avond. Diefstal schijnt niet het motief voor de misdaad geweest te zijn. Commissaris Maigret heeft persoonlijk de leiding van het onderzoek in handen genomen en wij menen te weten dat hij al aanknopingspunten heeft.*

Pierrot werkte in de Grelot, een dancing in de rue Charbonnière, bijna op de hoek van de boulevard de la Chapelle. Het was nog steeds in dezelfde wijk, maar in het meest onveilige stuk. Al op de boulevard de la Chapelle liep Janvier Arabieren tegen het lijf die aan het slenteren waren in de regen en blijkbaar niets beters te doen hadden. Er was nog ander volk, veel vrouwen ook die op klaarlichte dag en ondanks de voorschriften bij een hoteldeur op klanten stonden te wachten.

De voorgevel van de Grelot was paars geschilderd en zou 's avonds ook wel paars verlicht zijn. Op dit uur van de dag was er geen mens, behalve de baas die zat te lunchen in gezelschap van een niet meer zo jonge vrouw, misschien zijn echtgenote. Hij keek hoe Janvier, na eerst de deur achter zich dicht te hebben gedaan, op hem af liep en Janvier begreep dat de man met één oogopslag geraden had wat zijn beroep was.

'Wat wilt u? De bar gaat pas om vijf uur open.'

Janvier liet zijn penning zien maar de eigenaar vertrok geen spier. Hij was klein, breed in de schouders en had de neus en oren van een oud-bokser. Boven de dansvloer hing een soort balkon aan de muur, dat via een ladder voor de muzikanten bereikbaar was.

'Ik luister.'

'Is Pierrot er niet?'

De ander keek om zich heen door de lege zaal en zijn enige antwoord was: 'Ziet ú hem?'

'Is hij niet gekomen vandaag?'

'Hij werkt pas 's avonds vanaf zeven uur. Soms komt hij tegen een uur of vier, vijf even langs om een kaartje te leggen.'

'Heeft hij gisteren gewerkt?'

Janvier begreep dat er iets meer aan de hand was, want de man en de vrouw keken elkaar aan.

'Wat heeft hij uitgespookt?' vroeg de baas achterdochtig.

'Misschien wel niets. Ik wilde hem alleen maar een paar vragen stellen.'

'Waarom?'

De inspecteur viel maar meteen met de deur in huis.

'Omdat Lulu dood is.'

'Hé! Wat krijgen we nou?'

Hij was echt verbaasd. Er was trouwens geen krant te bekennen.

'Sinds wanneer?'

'Sinds vannacht.'

'Wat is haar overkomen?'

'Kent u haar?'

'Vroeger kwam ze vaak, bijna iedere avond. Ik heb het nu over twee jaar geleden.'

'En nu?'

'Ze kwam nog af en toe een glaasje drinken en naar de muziek luisteren.'

'Hoe laat is Pierrot gisteravond weggegaan?'

'Van wie hebt u gehoord dat hij is weggegaan?'

'De conciërge van de avenue Carnot, die hem goed kent, heeft hem de flat in zien komen en hem er een kwartier later weer uit zien gaan.'

De baas zweeg een poosje om na te denken wat zijn tactiek moest zijn. Ook hij was afhankelijk van de politie.

'Vertel eerst maar wat Lulu is overkomen.'

'Ze is vermoord.'

'Niet door Pierrot!' antwoordde hij gedecideerd.

'Hebt u mij horen zeggen dat het Pierrot was?'

'Nou, wat moet u dan van hem?'

'Ik heb wat informatie nodig. U beweert dat hij hier gisteravond gewerkt heeft?'

'Ik beweer niets. Het is gewoon de waarheid. Om zeven uur zat hij daarboven saxofoon te spelen.'

Met een hoofdknikje wees hij naar de zwevende orkestbak.

'Maar tegen negenen is hij vertrokken?'

'Hij werd gebeld. Het was tien voor halftien.'

'Lulu?'

'Ik zou het niet weten. Het kan best.'

'Ik weet het wel,' zei de vrouw. 'Ik zat vlak bij de telefoon.'

Die bevond zich niet in een cel, maar in een nis in de muur, dicht bij de deur naar de toiletten.

'Hij zei tegen haar: "Ik kom meteen".

En toen tegen mij: "Mélanie, ik moet er meteen vandoor".

Ik vroeg hem: "Problemen?"

Hij antwoordde: "Het lijkt er wel op." En hij ging boven nog iets zeggen tegen de andere muzikanten en is er toen snel vandoor gegaan.'

'Hoe laat is hij teruggekomen?'

Nu antwoordde de man weer: 'Iets voor elven.'

'Leek hij erg opgewonden?'

'Er is me niets opgevallen. Hij excuseerde zich dat hij even weg had gemoeten en nam zijn plaats weer in. Hij heeft tot één uur in de nacht gespeeld. En toen heeft hij zoals gewoonlijk na sluitingstijd met ons nog een afzakkertje genomen. Als hij geweten had dat Lulu dood was zou hij dat niet opgebracht hebben. Hij was gek op haar. Al een hele tijd. Ik heb hem zo vaak gezegd: "Pierrot, jongen, doe toch niet zo gek! Neem die vrouwen toch niet zo serieus..."'

Zijn echtgenote viel hem bits in de rede: 'Nou, bedankt hoor!'

'Dat is wat anders.'
'Was Lulu niet verliefd op hém?'
'Nou en of.'
'Had ze nog iemand anders?'
'Een saxofonist kan haar geen appartement betalen in de Etoile.'
'Weet u wie dan wel?'
'Ze heeft het me nooit verteld. Pierrot ook niet. Ik weet hoogstens dat haar leven na die operatie erg veranderd is.'
'Wat voor operatie?'
'Twee jaar geleden was ze erg ziek. Ze woonde toen hier in de buurt.'
'Tippelde ze?'
De man haalde zijn schouders op.
'Wat doen ze hier anders?'
'Ga verder.'
'Ze is naar het ziekenhuis gebracht en toen Pierrot haar daar bezocht had, zei hij dat het hopeloos was. Het was iets in haar hoofd, precies weet ik het niet. Toen is ze twee dagen daarna naar een ander ziekenhuis gebracht, op de linkeroever. Daar is ze toen ergens aan geopereerd en binnen een paar weken was ze genezen. Maar hier kwam ze niet meer, hoogstens voor een kort bezoekje.'
'Is ze meteen op de avenue Carnot gaan wonen?'
'Weet jij dat nog?' vroeg de baas aan zijn vrouw.
'Ja zeker. Eerst heeft ze nog een appartement gehad in de rue La Fayette.'

Toen Janvier tegen drie uur terugkwam op de Quai des Orfèvres was hij niet veel wijzer geworden. Maigret zat nog steeds op zijn kamer, in hemdsmouwen, want het vertrek was oververhit en het zag er blauw van de tabakswalm.

'Ga zitten. Vertel maar.'

Janvier vertelde wat hij gedaan had en te weten was gekomen.

'Ik heb opdracht gegeven om de stations in de gaten te houden,' zei de commissaris tegen hem toen hij klaar was met zijn verhaal. 'Tot nu toe heeft Pierrot nog niet geprobeerd de trein te nemen.'

Hij liet hem een antropometrisch signalement zien waarop een foto en face en een en profil van een man die niet veel jonger leek dan dertig.

'Is hij dat?'

'Ja. Toen hij twintig was is hij voor het eerst gearresteerd voor zware mishandeling bij een vechtpartij in een bar in de rue de Flandre. Anderhalf jaar later werd hij verdacht van medeplichtigheid bij een beroving, gepleegd door een hoertje dat bij hem inwoonde, maar dat kon niet bewezen worden. Toen hij vierentwintig was werd hij voor het laatst opgepakt voor koppelarij. Hij had in die tijd geen werk en leefde van de prostitutie van een zekere Ernestine. Sindsdien niets meer. Ik heb zijn signalement laten doorsturen naar alle politiebureaus. Houdt Janin nog steeds het hotel in het oog?'

'Ja, dat leek me wel zo verstandig.'

'Goed gedaan. Ik denk niet dat hij zo gauw terugkomt, maar je kunt het risico niet nemen. Maar ik kan Janin eigenlijk wel beter gebruiken. Ik zal de kleine Lapointe sturen om hem te vervangen. Het zou me overigens verbazen als Pierrot probeerde Parijs uit te komen. Hij heeft al zijn hele leven doorgebracht in een buurt die hij als zijn broekzak kent en waar hij gemakkelijk kan onderduiken.

Janin kent die buurt beter dan wij. Roep Lapointe even.'

Die luisterde naar de instructies en stortte zich met zoveel energie naar buiten alsof het hele onderzoek van hem alleen afhing.

'Ik heb ook het dossier van Louise Filon.'

'Tussen haar vijftiende en vierentwintigste is ze meer dan honderd keer met de arrestantenbus naar het huis van bewaring gebracht, bekeken, in observatie genomen en meestal na een paar dagen weer vrijgelaten.'

'Dat is alles,' zuchtte Maigret en hij klopte zijn pijp uit tegen zijn hak. 'Of liever, dat is niet echt alles, maar voor de rest tasten we in het duister.'

Misschien dacht hij hardop om alles op een rijtje te zetten, maar Janvier voelde zich toch gevleid erbij betrokken te worden.

'Er moet ergens een man zijn die Lulu geïnstalleerd heeft in het appartement aan de avenue Carnot. Vanmorgen vond ik het meteen al verdacht dat zo'n meisje uitgerekend in zo'n flat woont. Begrijp je wat ik bedoel?'

'Ja.'

Het was niet het soort flat waar dit soort straatmadelieven normaal neerstrijkt. Het was er zelfs niet de wijk voor. Alles in dit huis aan de avenue Carnot ademde burgerlijke welstand en fatsoen en het lag niet erg voor de hand dat de eigenaar of de beheerder akkoord was gegaan met een hoertje als huurster.

'Ik dacht al meteen dat ze daar natuurlijk zit om in de buurt te zijn van haar minnaar. Als de conciërge niet liegt staat het vast dat Lulu geen ander bezoek kreeg dan Pierrot. Ze ging ook niet vaak uit en kwam soms een week lang de deur niet uit.'

'Ik begin het te snappen.'

'Wat snap je dan?'

En Janvier moest blozend toegeven: 'Dat zou ik eigenlijk niet weten...'

'Ik weet het eigenlijk zelf ook niet. Ik ben maar aan het gissen. De herenpantoffels en de kamerjas die wij in de kast vonden zijn echt niet van de saxofonist. In de modezaak aan de rue de Rivoli kunnen ze niet zeggen wie die kamerjas gekocht heeft. Ze hebben honderden klanten en noteren geen namen van mensen die contant afrekenen. En de schoenmaker is een oude zonderling die beweert dat hij nu geen tijd heeft om zijn boeken na te gaan maar dat het er binnenkort zeker nog wel van zal komen. Het is een feit dat er behalve Pierrot nog iemand anders op bezoek kwam bij Louise Filon, iemand die zo intiem met haar omging dat hij er rondliep op pantoffels en in een kamerjas. Als de conciërge hem nooit gezien heeft....'

'Zou hij in de flat moeten wonen?'

'Dat is de meest logische verklaring.'

'Hebt u een lijst van de huurders?'

'Lucas heeft hem net doorgebeld.'

Janvier vroeg zich af waarom de chef zo chagrijnig keek, alsof hem iets helemaal niet beviel in die zaak.

'Wat je me verteld hebt over de ziekte van Lulu en haar operatie zou een aanwijzing kunnen zijn en in dat geval...'

Hij stak op zijn gemak een pijp op en boog zich over een lijstje met namen dat op zijn bureau lag.

'Weet je wie er precies boven haar appartement woont? Professor Gouin, de chirurg, toevallig onze grootste hersenspecialist.'

Janvier vroeg meteen: 'Is hij getrouwd?'

'Hij is getrouwd en zijn vrouw woont bij hem.'

'Wat bent u nu van plan?'

'Eerst even praten met de conciërge die me, zelfs als ze me vanmorgen niets heeft voorgelogen, vast niet de hele waarheid heeft verteld. Misschien ga ik daarna ook nog even naar moedertje Brault, want dat is één pot nat.'

'Wat doe ik intussen?'

'Jij blijft hier. Als Janin belt, vraag je maar of hij achter Pierrot aangaat in de wijk. Laat hem maar een foto brengen.'

Het was vijf uur en al donker op straat toen Maigret door de stad reed in een politieauto. Die ochtend, toen zijn vrouw door het raam had gekeken om te zien hoe de mensen gekleed waren, was hem iets geks te binnen geschoten. Hij had bedacht dat die dag typisch beantwoordde aan wat je je voorstelt bij het woord 'werkdag'. Dat woord was hem ingevallen zoals je soms opeens een melodietje in je hoofd hebt. Het was een dag waarop het onvoorstelbaar was dat mensen er voor hun plezier op uitgingen, überhaupt ergens plezier aan beleefden, een dag waarop je haast maakt, met tegenzin het hoogst noodzakelijke doet, door de regen ploetert en metro, winkels en kantoren in schuifelt met niets dan kletsnatte grauwheid om je heen.

Zo had hij zelf ook gewerkt; zijn kamer was veel te heet en zonder enig enthousiasme ging hij maar weer naar de avenue Carnot waar de grote steenklomp een troosteloze indruk maakte. De brave Lucas was daar nog steeds in het appartement op driehoog en Maigret zag al van beneden hoe hij met één hand het gordijn opzij hield en met sombere oogopslag de straat in keek.

De conciërge zat achter de ronde tafel in haar loge lakens te verstellen en met haar bril op leek ze een stuk minder jeugdig. Ook hier was het warm, heel rustig, met het getiktak van een oude klok en het gesuis van een gaskachel in de keuken.

'Blijft u zitten. Ik kwam alleen maar even praten.'

'Is ze echt vermoord?' vroeg ze terwijl hij zijn jas uittrok en vertrouwelijk tegenover haar ging zitten.

'Tenzij iemand na haar dood de revolver heeft meegenomen, wat heel onwaarschijnlijk lijkt. De werkster is boven maar een paar minuten alleen gebleven en voor ze wegging heb ik gecontroleerd of ze niets meenam. Ik heb haar natuurlijk niet van top tot teen gefouilleerd. Waar denkt u aan, mevrouw Cornet?'

'Ik? Niets bijzonders. Aan dat arme meisje.'

'Weet u zeker dat u mij vanmorgen alles heeft verteld wat u weet?'

Hij zag haar rood worden, dieper over haar verstelwerk buigen. Het was even stil en toen zei ze: 'Waarom vraagt u me dat?'

'Omdat ik me niet aan de indruk kan onttrekken dat u de man kent die Louise hier in huis gehaald heeft. Hebt ú haar het appartement verhuurd?'

'Nee, de beheerder.'

'Ik ga hem wel opzoeken, hij zal er wel meer van weten. En dan ga ik ook nog even naar de vierde verdieping voor wat informatie.'

Nu keek ze op met een snelle beweging.

'Naar de vierde?'

'Dat is toch het appartement van professor Gouin? Als ik het goed begrijp hebben hij en zijn vrouw daar de hele verdieping.'

'Ja.'

Ze was zichzelf weer meester. Hij ging verder: 'Ik kan

toch op zijn minst even vragen of ze gisteravond niets gehoord hebben. Waren ze thuis?'

'Mevrouw Gouin wel.'

'De hele dag?'

'Ja. Ze kreeg bezoek van haar zus en die is gebleven tot halftwaalf.'

'En de professor?'

'Hij is om een uur of acht naar het ziekenhuis gegaan.'

'Wanneer is hij thuisgekomen?'

'Ongeveer kwart over elf. Net voordat zijn schoonzus weer wegging.'

'Gaat de professor 's avonds nog vaak naar het ziekenhuis?'

'Bijna nooit. Alleen als er een spoedgeval is.'

'Is hij nu boven?'

'Nee. Hij komt praktisch nooit thuis voor etenstijd. Hij heeft wel een werkkamer in het appartement maar hij ontvangt geen patiënten, alleen in heel uitzonderlijke gevallen.'

'Ik zal zijn vrouw eens gaan horen.'

Ze liet hem opstaan en naar de stoel gaan waar hij zijn jas op had gelegd. Hij wilde juist de deur opendoen toen ze mompelde: 'Meneer Maigret!'

Hij had het min of meer verwacht en keerde zich om met een flauwe glimlach. Toen ze bijna met een smekend gezicht naar haar woorden zocht zei hij: 'Is hij het?'

Ze begreep hem verkeerd.

'U bedoelt toch niet dat de professor haar...'

'Welnee, dat bedoel ik helemaal niet. Maar ik ben er wel zo goed als zeker van dat Louise Filon hier door de professor is neergezet.'

Ze knikte bevestigend, al was het niet van harte.

'Waarom hebt u me dat niet eerder verteld?'
'U vroeg er niet naar.'
'Ik vroeg of u de man kende die...'
'Nee, u vroeg mij of ik afgezien van die muzikant nog iemand anders naar boven zag gaan.'
Het had geen zin daarover verder te discussiëren.
'Heeft de professor u gevraagd uw mond te houden?'
'Nee. Dat maakt hem niets uit.'
'Hoe weet u dat?'
'Omdat hij er geen geheim van maakt.'
'Waarom hebt u me dan niet gezegd...'
'Weet ik niet. Ik dacht dat het nergens goed voor was hem erbij te betrekken. Hij heeft mijn zoon gered. Hij heeft hem helemaal gratis geopereerd en hem twee jaar lang behandeld.'
'Waar is uw zoon?'
'In het leger. In Indo-China.'
'Is mevrouw Gouin van alles op de hoogte?'
'Ja. Ze is niet jaloers. Ze is het gewend.'
'Eigenlijk weet het hele gebouw dat Lulu de maîtresse is van de professor?'
'De mensen die het niet weten zijn er niet in geïnteresseerd. De huurders bemoeien zich hier niet veel met elkaar. Hij ging vaak in pyjama en kamerjas naar de derde etage.'
'Wat is het voor een man?'
'Kent u hem niet?'
Ze keek Maigret aan met iets van teleurstelling. De commissaris had vaak een foto van Gouin in de krant gezien, maar was nooit in de gelegenheid geweest hem persoonlijk te ontmoeten.
'Hij zal zo tegen de zestig lopen?'

'Tweeënzestig. Het is hem niet aan te zien. De jaren hebben trouwens geen vat op dat soort mannen.'

Maigret herinnerde zich vaag een markante kop met een forse neus en een wilskrachtige kin, maar ook met hangwangen en wallen onder de ogen. Het was grappig hoe de conciërge over hem praatte, met hetzelfde enthousiasme waarmee een meisje van het conservatorium praat over haar leraar.

'Weet u niet of hij gisteravond nog bij haar geweest is voordat hij naar het ziekenhuis ging?'

'Ik zei u toch al dat het pas acht uur was, en die jongen kwam pas later.'

Haar enige zorg was om Gouin buiten schot te houden.

'En toen hij weer thuis was?'

Ze zocht zichtbaar naar het voordeligste antwoord.

'Zeker niet.'

'Waarom?'

'Omdat zijn schoonzus naar beneden kwam een paar minuten nadat hij naar boven was gegaan.'

'Denkt u dat hij zijn schoonzus nog gezien heeft?'

'Ik veronderstel dat ze op hem wachtte om weg te gaan.'

'U verdedigt hem met passie, mevrouw Cornet.'

'Ik zeg gewoon de waarheid.'

'Als mevrouw Gouin toch op de hoogte is kan ik haar best even een bezoekje brengen.'

'Vindt u dat erg fijngevoelig?'

'Misschien niet. U hebt gelijk.'

Toch liep hij naar de deur.

'Waar gaat u heen?'

'Naar boven. Ik laat de deur op een kier en als de professor thuiskomt vraag ik hem even te spreken.

'Als u het niet laten kunt.'

'Bedankt.'

Hij mocht haar wel. Toen hij de deur weer dicht had gedaan draaide hij zich om en keek naar haar door het raam. Ze was opgestaan en toen ze hem zag had ze meteen spijt dat ze dat zo vlug had gedaan. Ze liep naar de keuken alsof ze daar iets zeer dringends te doen had, maar hij wist zeker dat ze niet naar de keuken had willen hollen maar eerder naar het ronde tafeltje vlak bij het raam waar het telefoontoestel stond.

# *Hoofdstuk 3*

'Waar heb je dat gevonden?' vroeg Maigret aan Lucas.

'Op de bovenste plank in de keukenkast.'

Het was een witkartonnen schoenendoos en Lucas had op het ronde tafeltje het rode touwtje laten liggen dat eromheen had gezeten toen hij hem ontdekt had. De inhoud deed Maigret denken aan andere 'schatten' die hij zo vaak op het platteland had gezien of bij arme mensen: het trouwboekje, een paar vergeelde brieven, soms een briefje van de lommerd, niet altijd in een doos, maar ook wel in een soepterrine van het goede servies of in een fruitschaal.

De schat van Louise Filon was niet zoveel anders. Er zat geen trouwboekje bij, maar wel een uittreksel uit het geboorteregister, afgegeven op het stadhuis van het achttiende arrondissement, waarin verklaard werd dat Louise Marie Joséphine Filon geboren was in Parijs als dochter van een zekere Louis Filon, snarenmaker, wonende in de rue de Cambrai bij het abattoir van la Villette, en van Philippine Le Flem, wasvrouw.

Van haar was waarschijnlijk de foto die genomen was door een buurtfotograaf. Het traditionele decor stelde een park voor met een balustrade op de voorgrond. De vrouw die een jaar of dertig moest zijn toen het portret gemaakt werd, was niet in staat geweest op bevel van de fotograaf te glimlachen en keek strak voor zich uit. Vermoedelijk had ze nog meer kinderen gehad dan Louise, want haar lichaam was al vormloos geworden en haar borsten hingen slap in haar blouse.

Lucas had weer plaats genomen in de fauteuil waar hij al zat voor hij de commissaris was gaan opendoen. Die had toen hij binnenkwam onwillekeurig moeten glimlachen, want vlak bij de sigaret die lag te smeulen in de asbak had hij een opengeslagen kasteelromannetje van Lulu gezien, dat de brigadier waarschijnlijk uit verveling gepakt had en waarin hij al bijna op de helft was.

'Ze is dood,' zei Lucas, wijzend op de foto. 'Zeven jaar geleden.'

Hij gaf zijn chef een krantenknipsel uit de familieberichten, waarin melding gemaakt werd van personen die die dag waren overleden, onder wie de genoemde Philippine Filon, geboren Le Flem.

De twee mannen hadden de deur op een kier laten staan en Maigret was gespitst op het geluid van de lift. De enige keer dat die gebruikt was, was hij gestopt op de tweede etage.

'Haar vader?'

'Alleen deze brief.'

Hij was geschreven met potlood, op goedkoop papier, en het schrift was van iemand die niet lang op school is geweest.

*Lieve Louise,*

*Ik stuur deze brief om je te zeggen dat ik weer in het ziekenhuis lig en zeer ongelukkig ben.*

*Misschien wil je zo goed zijn mij wat geld op te sturen voor wat tabak. Ze zeggen dat eten slecht voor me is en laten me doodgaan van de honger. Ik stuur deze brief naar het café waar iemand van hier beweert dat hij jou gezien heeft. Ze zullen je daar wel kennen. Ik zal het niet lang meer maken. Je vader.*

In de bovenhoek stond de naam van een ziekenhuis in Béziers in de Hérault. Uit geen enkele datum viel op te maken wanneer de brief was geschreven, waarschijnlijk een jaar of drie geleden, te oordelen naar het vergeelde papier.

Had Louise nog meer brieven gekregen? Waarom had ze alleen deze bewaard? Was dat omdat haar vader kort daarop gestorven was?

'Vraag dat maar na in Béziers.'

'Goed, chef.'

Maigret zag geen andere brieven, alleen foto's, de meeste genomen op kermissen, sommige van Louise alleen, andere samen met Pierrot. Er waren ook pasfoto's van de jonge vrouw uit een automaat.

De rest bestond uit goedkope prulletjes die ook op de kermis waren gewonnen: een stenen hondje, een asbak, een olifant van getrokken glas en zelfs papieren bloemen.

Ergens in de buurt van Barbès of de boulevard de la Chapelle zou zo'n schat niet uit de toon vallen. Hier in een appartement aan de avenue kreeg de kartonnen doos bijna iets tragisch.

'Anders niets?'

Juist toen Lucas wilde antwoorden schrokken ze allebei op van het geluid van de telefoon en Maigret nam snel op.

'Hallo!' zei hij.

'In de heer Maigret daar?'

'Daar spreekt u mee.'

'Neem me niet kwalijk dat ik u stoor, commissaris. Ik heb naar uw bureau gebeld en daar werd me verteld dat u waarschijnlijk hier was of nog zou komen. U spreekt met mevrouw Gouin.'

'Ik luister.'

'Mag ik naar beneden komen om even met u te spreken?'

'Is het niet eenvoudiger als ik naar boven kom?'

Haar stem klonk beslist, ook toen ze antwoordde: 'Ik kom liever naar beneden om te vermijden dat mijn man u in ons appartement aantreft als hij thuiskomt.'

'Zoals u wilt.'

'Ik kom eraan.'

Maigret kon Lucas nog net toefluisteren: 'De vrouw van professor Gouin, die hierboven woont.'

Even later hoorden ze stappen op de trap, toen kwam iemand door de openstaande voordeur en deed die dicht. Er werd geklopt op de tussendeur die op een kier stond. Maigret liep die kant op en zei: 'Komt u binnen, mevrouw.'

Dat deed ze heel gewoon, zoals ze elk willekeurig appartement zou zijn binnengestapt en zonder een blik te werpen op de salon keek ze meteen naar de commissaris.

'Dit is brigadier Lucas. Wilt u plaatsnemen?'

'Dank u.'

Ze was groot, tamelijk stevig, maar niet dik. Gouin was tweeënzestig, maar zij waarschijnlijk pas vijfenveertig, en zelfs dat gaf je haar niet.

'Ik vermoed dat u al op een telefoontje van mij zat te wachten?' zei ze met een flauw glimlachje.

'Heeft de conciërge u al ingelicht?'

Ze aarzelde even zonder haar ogen neer te slaan en glimlachte nu echt.

'Dat klopt. Ze heeft me net gebeld.'

'U wist dus dat ik hier was. Dat u naar mijn bureau heeft gebeld was dus alleen maar om het spontane karakter van uw komst te benadrukken.'

Ze bloosde nauwelijks en verloor niets van haar zelfverzekerdheid.

'Ik had moeten bedenken dat u het zou raden. Ik zou in ieder geval contact met u opgenomen hebben. Ik had u meteen vanmorgen al willen spreken toen ik hoorde wat er hier gebeurd was.'

'Waarom hebt u dat dan niet gedaan?'

'Misschien omdat ik liever had dat mijn man hier niet in betrokken werd.'

Maigret was haar blijven aankijken. Hij had opgemerkt dat ze de entourage geen blik had waardig gekeurd, er helemaal niet nieuwsgierig naar was.

'Wanneer was u hier voor het laatst, mevrouw?'

Ook ditmaal kreeg ze een lichte kleur, maar ze kaatste de bal meteen terug.

'Weet u dat ook al? Toch kan niemand u dat verteld hebben, zelfs mevrouw Cornet niet.'

Ze dacht na en vond vlug een antwoord op de vraag.

'Ik heb me zeker niet gedragen als iemand die voor de eerste keer een appartement binnenkomt, vooral een appartement waar een moord is gepleegd?'

Lucas zat nu op de canapé, bijna op de plaats waar het lichaam van Louise vanmorgen gelegen had. Mevrouw Gouin was in een fauteuil gaan zitten en Maigret bleef staan, met zijn rug naar de open haard die uitsluitend gevuld was met imitatiehoutblokken.

'Maar u krijgt heus wel een antwoord van mij. Op een nacht, zeven of acht maanden geleden, heeft de vrouw die hier woonde mij in paniek opgebeld omdat mijn man zojuist een hartaanval had gekregen.'

'Was hij in de slaapkamer?'

'Ja. Ik ben naar beneden gekomen en heb hem de eerste hulp verleend.'

'Hebt u medicijnen gestudeerd?'

'Voor ons huwelijk was ik verpleegster.'

Sinds ze binnen was had Maigret zich afgevraagd uit wat voor milieu ze kwam, en hij kon haar nog steeds niet thuisbrengen. Nu begreep hij haar gedecideerde houding beter.

'Gaat u verder.'

'Dat is zowat alles. Ik had bijna een bevriende arts gebeld toen Etienne weer bijkwam en mij verbood er iemand bij te halen.'

'Was hij verbaasd dat u opeens aan zijn bed stond?'

'Nee. Hij heeft me altijd alles verteld. Hij hield niets achter voor mij. Die nacht is hij weer met me naar boven gegaan en uiteindelijk is hij toen rustig gaan slapen.'

'Was dat zijn eerste aanval?'

'Hij had al eens eerder een lichtere aanval gehad, drie jaar daarvoor.'

Ze was nog steeds kalm, zelfverzekerd, zoals je haar in verpleegstersuniform aan het bed van een zieke kon voorstellen. Het meest verbaasd was Lucas, die nog geen weet had van de situatie en niet begreep dat een vrouw zo bedaard kon praten over de maîtresse van haar man.

'Waarom wilde u me vanavond spreken?' vroeg Maigret.

'De conciërge heeft me verteld dat u van plan was

mijn man te horen. Ik vroeg me af of dat vermeden kon worden, of een gesprek met mij u niet dezelfde informatie zou kunnen geven. U kent de professor?'

'Alleen van naam.'

'Het is een buitengewone man, zoals er maar een paar in een generatie voorkomen.'

De commissaris knikte instemmend.

'Heel zijn leven staat in dienst van zijn werk, hij ziet het echt als een roeping. Behalve zijn colleges en zijn werk in het Cochin-ziekenhuis, heeft hij soms een stuk of vier operaties op één dag en u weet natuurlijk dat het heel moeilijke operaties zijn. Is het dan gek dat ik hem zo veel mogelijk zorgen probeer te besparen?'

'Hebt u uw man nog gezien sinds de dood van Louise Filon?'

'Hij is komen lunchen. Vanmorgen toen hij wegging was dit appartement al in rep en roer, maar wij wisten van niets.'

'Hoe was hij tussen de middag?'

'Het was een hele slag voor hem.'

'Hield hij van haar?'

Ze keek hem even aan en antwoordde niet. Toen keek ze in de richting van Lucas, wiens aanwezigheid haar leek te hinderen.

'Ik geloof, meneer Maigret, dat u voor zover ik u ken iemand bent die veel kan begrijpen. Juist omdat de buitenwereld het niet zou begrijpen wilde ik voorkomen dat er praatjes van deze hele affaire zouden komen. De professor is een man die verschoond moet blijven van allerlei roddel en zijn werk is voor iedereen zo belangrijk dat we niet het risico mogen lopen dat hij beschadigd wordt met nodeloze zorgen.'

Onwillekeurig keek de commissaris naar de plaats waar vanmorgen het lichaam van Lulu had gelegen en dat was een soort commentaar op de woorden 'nodeloze zorgen'.

'Zou ik mogen proberen u een idee te geven van zijn karakter?'

'Gaat uw gang.'

'U weet waarschijnlijk dat hij komt uit een familie van arme boeren in de Cévennen.'

'Ik wist dat hij van boerenafkomst was.'

'Wat hij geworden is heeft hij bereikt door zijn wilskracht. Je zou bijna zonder overdrijving kunnen zeggen dat hij nooit een kind geweest is en ook geen jongen. Begrijpt u wat ik bedoel?'

'Heel goed.'

'Hij is een soort natuurkracht. Al ben ik zijn vrouw, dan mag ik toch nog wel zeggen dat het een geniale man is, want anderen hebben het vóór mij gezegd en zeggen het nog steeds.'

Maigret was het nog steeds met haar eens.

'Mensen reageren meestal heel merkwaardig op genieën. Ze willen best toegeven dat ze veel slimmer zijn dan iemand anders en heel wat meer presteren. De eerste de beste patiënt vindt het doodnormaal dat Gouin om twee uur 's nachts zijn bed uit komt voor een spoedoperatie die alleen hij kan doen, en dat hij om negen uur in het ziekenhuis weer gebogen staat over andere patiënten. Diezelfde patiënten zouden geschokt zijn als ze hoorden dat hij op andere gebieden ook heel anders is.'

Maigret wist waar het naar toe ging, maar hij liet haar liever uitpraten. Ze deed dat trouwens met een overtuigende kalmte.

'Etienne heeft nooit iets gegeven om de kleine genoegens van het leven. Hij heeft praktisch geen vrienden. Ik herinner me niet dat hij ooit echt op vakantie is gegaan. Hij heeft een tomeloze energie. En zijn enige manier om zich te ontspannen is zijn omgang met vrouwen.'

Ze wierp een blik op Lucas en wendde zich opnieuw tot Maigret.

'Ik choqueer u hopelijk niet?'

'Helemaal niet.'

'Begrijpt u me goed? Het is geen man die vrouwen het hof maakt. Daar zou hij het geduld niet voor op kunnen brengen, dat is niets voor hem. Wat hij van hen vraagt is een heftige ontlading en volgens mij is hij zijn hele leven nog nooit verliefd geweest.'

'Ook niet op u?'

'Ik heb me dat vaak afgevraagd. Ik kom er niet achter. We zijn al tweeëntwintig jaar getrouwd. Voor die tijd was hij vrijgezel en woonde hij samen met een oude huishoudster.'

'In dit huis?'

'Ja. Hij heeft heel toevallig ons appartement gehuurd toen hij dertig was en het kwam niet bij hem op om te verhuizen, zelfs toen hij benoemd werd in Cochin, dat aan de andere kant van de stad ligt.'

'Werkte u voor hem?'

'Ja. Ik kan toch vrijuit tegen u praten?'

De aanwezigheid van Lucas hinderde haar nog steeds en Lucas, die dat aanvoelde, sloeg zijn korte beentjes ongemakkelijk over elkaar.

'Maandenlang zag hij me niet staan Zoals het hele ziekenhuis wist ik dat de meeste verpleegsters er op een goede dag aan moesten geloven en dat zoiets geen enkele betekenis had. De volgende dag was hij het al vergeten. Toen ik eens nachtdienst had en we moesten wachten op het resultaat van een operatie die drie uur had geduurd, heeft hij me zonder één woord genomen.'

'Hield u van hem?'

'Ik denk van wel. In ieder geval bewonderde ik hem. Een paar dagen later was ik verrast dat hij me uitnodigde voor een lunch met hem in een restaurant in de Faubourg Saint-Jacques. Hij vroeg me toen of ik getrouwd was. Tot dan toe had hij zich daar niet mee bezig gehouden. Toen vroeg hij me wat mijn ouders deden en ik zei hem dat mijn vader visser was in Bretagne. Verveel ik u?'

'Integendeel.'

'Ik zou zo graag willen dat u hem begreep.'

'Bent u niet bang dat hij thuis komt en het vreemd vindt dat u weg bent?'

'Voordat ik naar beneden kwam heb ik naar de Sint-Jozefkliniek gebeld, waar hij nu aan het opereren is, en ik weet dat hij niet voor halfacht thuiskomt.'

Het was kwart over zes.

'Wat zei ik ook alweer? O ja. Dat we samen hebben geluncht en dat hij wilde weten wat mijn vader deed. Nu wordt het lastiger. U moet me vooral niet verkeerd begrijpen. Hij vond het een geruststellende gedachte dat ik uit hetzelfde milieu kwam als hij. Niemand weet het, maar hij is eigenlijk verschrikkelijk verlegen, ik zou bijna zeggen ziekelijk verlegen, maar alleen tegenover mensen die uit een andere sociale klasse komen. Ik denk dat hij daarom op zijn veertigste nog niet getrouwd was en nooit in de betere kringen kwam. Alle meisjes die hij nam waren meisjes uit het volk.'

'Ik begrijp het.'

'Ik vraag me af of hij met een ander soort meisje....'

Ze werd rood bij die woorden en gaf zo heel duidelijk aan wat ze bedoelde.

'Hij raakte aan mij gewend, maar gaf zijn vroegere leventje niet op. Toen vroeg hij me op zekere dag bijna terloops of ik met hem wilde trouwen. Dat is onze hele geschiedenis. Ik trok bij hem in en bestuurde het huishouden.'

'En de huishoudster is vertrokken?'

'Een week na ons huwelijk. Ik hoef toch niet te zeggen dat ik niet jaloers ben? Dat zou belachelijk zijn.'

Maigret kon zich niet herinneren iemand ooit zo doordringend te hebben aangekeken als deze vrouw en zij voelde het, was er niet van onder de indruk, integendeel, ze leek aan te voelen wat hem zo boeide in haar.

Ze deed haar best niets over te slaan, geen enkele karaktertrek van haar man onbelicht te laten.

'Hij ging nog steeds met alle verpleegsters naar bed, met al zijn opeenvolgende assistentes, eigenlijk met alles wat hij kon krijgen aan meisjes, vooral als hij wist dat ze niet moeilijk zouden gaan doen. Misschien is dat wel essentieel voor hem. Voor niets ter wereld zou hij een avontuurtje beginnen waarmee hij tijd zou verliezen die hij beter kon gebruiken voor zijn werk.'

'Lulu?'

'Weet u ook al dat ze Lulu werd genoemd? Daar kom ik zo op. U zult zien dat het net zo eenvoudig is. Mag ik een glas water halen?'

Lucas wilde opstaan, maar ze was al door de keukendeur en er begon een kraan te lopen. Toen ze weer ging zitten had ze vochtige lippen, een druppel water op haar kin.

Echt knap kon je haar niet noemen, ook niet mooi, ondanks haar regelmatige trekken. Maar ze was leuk om te zien. Er ging iets kalmerends van haar uit. Maigret zou graag door haar verpleegd worden als hij ziek was. En het was ook het soort vrouw met wie je uit eten kon gaan zonder dat je je zorgen hoefde te maken over de gespreksstof. Een vriendin kortom, die alles begreep, zich nergens over verbaasde of aan ergerde en niet vlug gechoqueerd was.

'Ik veronderstel dat u weet hoe oud hij is?'

'Tweeënzestig.'

'Ja. Hij heeft nog niets aan kracht ingeboet en dat bedoel ik in de ruimste zin van het woord. Toch denk ik dat iedere man op een bepaalde leeftijd bang is zijn viriliteit te verliezen.'

Terwijl ze het zei besefte ze dat Maigret al over de vijftig was en ze stamelde: 'O, pardon!'

'Niet erg.'

Het was de eerste keer dat ze samen glimlachten.

'Ik denk dat het andere mannen net zo vergaat. Ik zou het niet weten. Een feit is dat Etienne seksueel nog nooit zo actief bezig is geweest. Ik choqueer u nog steeds niet?'

'Nog steeds niet.'

'Ongeveer twee jaar geleden heeft hij een jeugdige patiënte gehad, Louise Filon, die hij op wonderbaarlijke wijze het leven heeft gered. U kent haar hele achtergrond al? Ze kwam uit de diepste misère en dat heeft mijn man waarschijnlijk in haar aangetrokken.'

Maigret knikte instemmend, want alles wat ze zei klonk oprecht en had de eenvoud van een politierapport.

'Hij moet met zijn avances al begonnen zijn in het ziekenhuis toen ze herstellende was. Toen heeft hij een appartement in de rue La Fayette voor haar gehuurd, na er met mij terloops over te hebben gesproken. Hij gaf me geen bijzonderheden. Hij liep met die dingen niet te koop en dat is nog steeds zo. Opeens, midden onder het eten, vertelde hij me soms wat hij gedaan had of wat hij van plan was. Ik vond het beter geen vragen te stellen. En dan hadden we het er niet meer over.'

'Was het uw idee haar in deze flat te installeren?'

Het deed haar zichtbaar genoegen dat Maigret het geraden had.

'Voor beter begrip moet ik u nog wat meer details geven. Vergeef me dat ik zo lang van stof ben. Maar het hangt allemaal met elkaar samen. Vroeger reed Etienne zelf. Maar een paar jaar geleden, vier om precies te zijn, had hij een klein ongelukje op de Place de la Concorde. Hij reed een vrouw aan die overstak en die gelukkig alleen wat kneuzingen had. Maar het greep hem wel erg aan. Een paar maanden lang hadden we een chauffeur, maar daar heeft hij nooit aan kunnen wennen. Het ergerde hem dat een man in de kracht van zijn leven niets beters te doen had dan uren langs het trottoir op hem te staan wachten. Ik heb hem toen voorgesteld dat ík zou rijden, maar dat was ook niet handig en hij ging toen voortaan maar met de taxi. De auto bleef een paar maanden in de garage staan en uiteindelijk hebben we hem maar verkocht. 's Morgens wordt hij altijd door dezelfde taxi opgehaald en daar maakt hij de meeste visites mee. Van hier tot aan de Faubourg Saint-Jacques is een heel eind. Hij heeft ook patiënten in Neuilly en dikwijls in andere ziekenhuizen in de stad. En dan ook nog naar de rue La Fayette...'

Maigret knikte nog steeds instemmend, terwijl Lucas in slaap leek te sukkelen.

'Toevallig kwam er in dit gebouw een appartement vrij.'

'Een ogenblikje. Bleef uw man 's nachts vaak in de rue La Fayette?'

'Maar een gedeelte van de nacht. Hij wilde per se 's morgens hier zijn als zijn assistente kwam, die ook zijn secretaresse is.'

Ze lachte even.

'Het zijn zogezegd huiselijke beslommeringen die de doorslag hebben gegeven. Ik heb hem gevraagd waarom hij dat meisje niet hier zou halen.'

'Wist u wie ze was?'

'Ik wist alles van haar, zelfs dat ze een minnaar had die Pierrot heette.'

'Wist uw man dat ook?'

'Ja. Hij was niet jaloers. Hij zou hem waarschijnlijk niet graag bij Lulu zijn tegengekomen, maar zolang hij er maar niets mee te maken had...'

'Gaat u verder. Hij vond het een goed idee. En zij?'

'Ze schijnt een tijdje te hebben tegengesparteld.'

'Wat voelde Louise Filon voor de professor, volgens u?'

Maigret begon onwillekeurig op dezelfde toon als mevrouw Gouin te praten over die man die hij nooit gezien had en die bijna lijfelijk aanwezig was in de kamer.

'Wilt u dat ik heel eerlijk ben?'

'Graag.'

'Om te beginnen raakte ze zoals alle vrouwen die met hem omgaan onder de indruk van zijn charme. U zult wel denken dat ik er een vreemd soort trots op na houd, maar al is hij niet echt knap en zelfs niet meer een van de jongste, er zijn weinig vrouwen die niet meteen voor hem vallen. Vrouwen voelen instinctief zijn kracht en ...'

Ditmaal kon ze niet op haar woorden komen.

'Nou ja! Zo is het nu eenmaal en ik denk niet dat de mensen die u gaat ondervragen me zullen tegenspreken. Dit meisje reageerde net zoals al die anderen. Bovendien heeft hij haar het leven gered en haar behandeld zoals ze nog niet vaak had meegemaakt.'

Het was nog steeds helder en logisch.

'Ik ben er zeker van, als ik helemaal eerlijk moet zijn, dat geld ook een rol heeft gespeeld. Misschien niet puur het geld, als wel het vooruitzicht op een bepaalde zekerheid, een zorgeloos leventje.'

'Is ze er nooit over begonnen bij hem weg te gaan en voor haar minnaar te kiezen?'

'Niet voor zover ik weet.'

'Hebt u die man ooit gezien?'

'Ik ben hem een keer tegengekomen bij de poort.'

'Kwam hij vaak hier?'

'In principe niet. Ze zocht hem 's middags ergens op. Hij kwam maar heel zelden bij haar.'

'Wist uw man dat?'

'Dat zou kunnen.'

'Had hij dat vervelend gevonden?'

'Misschien, maar toch niet omdat hij jaloers was. Het is moeilijk uit te leggen.'

'Was uw man erg gehecht aan dat meisje?'

'Ze had alles aan hem te danken. Hij had haar als het ware gemaakt, want zonder hem zou ze dood zijn. Misschien dacht hij al aan de dag dat hij geen andere vrouwen meer zou krijgen? In ieder geval hoefde hij zich met haar nergens over te schamen, al is dat maar een veronderstelling van mij.'

'En met u?'

Ze keek even strak naar het tapijt.

'Maar ik ben een vrouw!'

Hij had bijna geantwoord: 'Terwijl zij helemaal niets was!'

Want zo dacht ze er wel over en misschien de professor ook wel.

Hij zei maar liever niets. Ze waren alle drie even stil. Buiten bleef de regen geruisloos neerkomen. In het huis tegenover werden de ramen verlicht en een schaduw bewoog zich achter de crèmekleurige gordijnen van een appartement.

'Vertelt u mij eens iets over gisteravond,' zei Maigret toen, en zwaaiend met zijn pijp die hij net gestopt had, voegde hij daaraan toe: 'Mag ik?'

'Gaat uw gang.'

Tot dan toe was hij zo geïntrigeerd geweest door mevrouw Gouin dat hij niet aan roken gedacht had.

'Wat wilt u van me horen?'

'Eerst een kleinigheid. Bleef uw man vaak bij haar slapen?'

'Heel zelden. Wij hebben boven de hele etage. Links is wat wij het appartement noemen. Rechts heeft mijn man zijn slaapkamer en badkamer, een bibliotheek, nog een ander vertrek waar zelfs op de grond zijn wetenschappelijke brochures liggen opgestapeld en ten slotte zijn bureau en dat van zijn secretaresse.'

'U slaapt dus apart?'

'Dat hebben we altijd gedaan. Tussen onze kamers is alleen een boudoir.'

'Mag ik u een indiscrete vraag stellen?'

'Vraagt u maar gerust.'

'Onderhoudt u nog huwelijkse betrekkingen met uw man?'

Ze keek nog maar eens naar de arme Lucas, die zich overbodig voelde en met zijn figuur geen raad wist.

'Zelden.'

'Eigenlijk nooit?'

'Ja.'

'Al lang?'

'Al jaren.'

'U mist het niet?'

Ze verschoot niet, glimlachte en knikte ja.

'U hoort me wel uit, maar ik wil u zo eerlijk mogelijk antwoorden. Laten we het erop houden dat ik het een beetje mis.'

'Laat u het hem niet merken?'

'Zeker niet.'

'U hebt geen minnaar?'

'Dat is nooit bij me opgekomen.'

Ze pauzeerde even, keek hem doordringend aan.

'Gelooft u mij?'

'Ja.'

'Dank u. Mensen willen niet altijd de waarheid horen. Als je de partner bent van iemand als Gouin moet je offers brengen.'

'Hij ging haar beneden opzoeken en kwam dan weer boven?'

'Ja.'

'Gisteravond ook?'

'Nee. Hij deed het niet elke dag. Soms bleef het bijna een week lang bij een bezoekje van een paar minuten. Dat hing van zijn werk af. En natuurlijk van de gelegenheden die zich elders voordeden.'

'Zijn relaties met andere vrouwen gingen gewoon door?'

'Het soort relaties dat ik u beschreven heb.'

'En gisteren?'

'Na het diner is hij een paar minuten bij haar geweest. Dat weet ik omdat hij niet de lift nam toen hij wegging en dan weet ik genoeg.'

'Hoe weet u zo zeker dat hij maar een paar minuten gebleven is?'

'Omdat ik hoorde dat hij uit het appartement kwam en de lift wilde nemen.'

'Was u hem aan het bespioneren?'

'Wat bent u toch een verschrikkelijke man, meneer Maigret. Ik bespioneerde hem inderdaad, zoals altijd, niet uit jaloezie maar... Hoe moet ik dat nu weer uitleggen zonder dat u denkt dat ik pretenties heb? Ik zie het als mijn plicht hem te beschermen, op de hoogte te zijn van zijn doen en laten en hem in gedachten te volgen.'

'Hoe laat was het?'

'Ongeveer acht uur. We hadden snel gegeten, want hij moest die avond in Cochin zijn. Hij was ongerust over de afloop van een operatie die hij 's middags verricht had en hij wilde in de buurt blijven van de patiënt.'

'Hij bleef dus een paar minuten in het appartement en nam toen de lift?'

'Ja. Mevrouw Decaux, zijn assistente, stond hem zoals gewoonlijk als hij 's avonds nog terug moest naar het ziekenhuis, beneden op te wachten. Ze woont vlakbij, in de rue des Acacias en ze rijden altijd samen.'

'Zij ook?' vroeg hij met een duidelijke suggestie in die twee woorden.

'Zij ook, als het zo uitkwam. Vindt u dat monsterlijk?'

'Nee.'

'Waar was ik ook alweer? Mijn zus kwam tegen halfnegen.'

'Woont ze in Parijs?'

'Op de boulevard Saint-Michel, tegenover de Ecole des Mines. Antoinette is vijf jaar ouder dan ik en nooit getrouwd. Ze werkt in een openbare bibliotheek en is een typische oude vrijster.'

'Weet ze wat uw man voor leven leidt?'

'Ze weet niet alles. Maar ze heeft genoeg ontdekt om een grondige hekel aan hem te hebben en hem diep te minachten.'

'Ze kunnen elkaar niet uitstaan?'

'Ze spreekt niet met hem. Mijn zus is heel katholiek gebleven en voor haar is Gouin de duivel in eigen persoon.'

'Hoe behandelt hij haar?'

'Hij negeert haar. Ze komt zelden, hoogstens als ik alleen thuis ben.'

'Ze ontloopt hem?'

'Zo veel mogelijk.'

'Toch heeft hij haar gisteren...'

'Ik merk dat de conciërge u alles verteld heeft. Ze zijn elkaar gisteravond inderdaad tegen het lijf gelopen. Ik verwachtte mijn man niet voor twaalf uur. Ik heb met mijn zus wat zitten praten.'

'Waarover?'

'Over van alles en nog wat.'

'Over Lulu misschien?'

'Ik geloof van niet.'

'U bent er niet zeker van?'

'Toch wel, ja. Ik weet niet waarom ik er eigenlijk zo omheen draai. Het ging over onze ouders.'

'Die zijn overleden?'

'Mijn moeder is gestorven maar mijn vader woont

nog in de Finistère. We hebben daar nog andere zussen. We waren met zes meisjes en twee jongens.'

'Wonen er nog meer in Parijs?'

'Alleen Antoinette en ikzelf. Om halftwaalf, misschien iets eerder, hoorden we tot onze verrassing de deur opengaan en kwam Etienne binnen. Hij gaf een kort knikje, meer niet. Antoinette nam afscheid van mij en is vrijwel meteen vertrokken.'

'Is uw man niet naar beneden gegaan?'

'Nee, hij was moe en ongerust over de toestand van zijn patiënt die het slechter maakte dan hij verwacht had.'

'Ik neem aan dat hij de sleutel van dat appartement heeft?'

'Natuurlijk.'

'Is er in de loop van de avond niets abnormaals voorgevallen? Hebben uw zus en u niets verdachts gehoord?'

'In deze oude stenen huizen hoor je niets van andere appartementen, zeker niet als het op een andere verdieping is.'

Ze keek op haar armbandhorloge hoe laat het was en werd zenuwachtig.

'Neemt u mij niet kwalijk, maar het wordt tijd om naar boven te gaan. Etienne kan nu elk moment thuiskomen. Hebt u nog iets te vragen?'

'Voorlopig is het genoeg geweest.'

'Denkt u dat hem een verhoor bespaard kan blijven?'

'Daarover kan ik u niets beloven, maar ik zal uw man hoogstens lastigvallen als het echt niet anders kan.'

'Hoe schat u dat op dit moment in?'

'Nu hoeft het nog niet per se.'

Ze stond op en gaf een hand zoals een man dat zou

hebben gedaan, zonder haar ogen neer te slaan.

'Ik dank u, meneer Maigret.'

Toen ze zich omdraaide viel haar oog op de kartonnen doos en de foto's, maar de commissaris kon de uitdrukking op haar gezicht niet zien.

'Ik ben de hele dag thuis. U kunt komen als mijn man afwezig is. U begrijpt dat deze toevoeging geen bevel is maar een verzoek.'

'Daar ging ik van uit.'

Ze herhaalde: 'Bedankt.'

Ze liep weg en deed de twee deuren achter zich dicht terwijl de kleine Lucas de commissaris aankeek alsof hij zojuist een klap op zijn hoofd had gekregen. Hij was zó bang iets doms te zeggen dat hij er maar het zwijgen toe deed en hij hoopte op het gezicht van Maigret te lezen wat hij ervan denken moest.

# *Hoofdstuk 4*

In de auto die hem naar de Centrale Recherche bracht dacht Maigret vreemd genoeg niet aan professor Gouin of zijn vrouw maar bijna onwillekeurig aan Louise Filon; alvorens weg te gaan had hij de op de kermis genomen foto's van haar in zijn portefeuille gestopt.

Zelfs op die foto's, die toch genomen waren op avonden dat ze in een uitgelaten stemming moest zijn geweest, kon er geen enkel lachje af. Maigret had veel van dat soort meisjes gekend, geboren in net zo'n milieu, met net zo'n voorgeschiedenis en levenswandel. Sommigen liepen te koop met een platte en luidruchtige vrolijkheid die opeens kon overgaan in tranen of opstandigheid. Anderen, zoals Désirée Brault, werden vooral met de jaren steeds harder en cynischer.

Het was moeilijk te definiëren wat hij zag in de gelaatsuitdrukking van Lulu op die foto's, een uitdrukking die ze altijd wel gehad moest hebben. Het was geen droefheid, eerder het pruilerige gezichtje van een meisje dat op het schoolplein aan de kant staat toe te kijken hoe haar klasgenootjes aan het spelen zijn.

Hij zou moeilijk hebben kunnen uitleggen wat het aantrekkelijke aan haar was, maar hij voelde het wel aan en vaak had hij dat soort meisjes onwillekeurig wat vriendelijker ondervraagd.

Ze waren jong, hadden nog een zekere frisheid; in

sommige opzichten leken ze nog maar nauwelijks de kinderschoenen ontgroeid en toch hadden ze al een heel leven achter de rug. Hun uitgebluste ogen hadden al veel te veel walgelijke dingen gezien en hun lichamen hadden de ongezonde charme van een bloem die op verwelken staat, eigenlijk al half verwelkt is.

Hij kon zich haar voorstellen in de hotelkamer aan de rue Riquet, in elke willekeurige kamer in de Barbèswijk, waar ze hele dagen doorbracht met lezen, slapen of kijken door een vaalgroen venster. Hij stelde zich haar voor in elk willekeurig café in het achttiende arrondissement, waar ze uren haar tijd uitzat terwijl een Pierrot en drie vrienden aan het klaverjassen waren. Hij stelde zich ook voor hoe ze in een bal musette met een ernstig gezicht helemaal opging in het dansen. En ten slotte stelde hij zich voor hoe ze op een straathoek in de duisternis stond te loeren naar de mannen, zonder ze een glimlachje waardig te keuren, en hoe ze voor hen uit de trap opklom van een hotelletje en haar naam riep naar de exploitante.

Ze had meer dan een jaar gewoond in het imposante natuurstenen pand aan de avenue Carnot waar het appartement te groot, te koud voor haar leek, en juist daar kon hij haar zich maar moeilijk voorstellen, zoals hij haar ook nog niet zag in het gezelschap van iemand als Etienne Gouin.

De meeste lichten aan de Quai des Orfèvres waren uit. Hij liep langzaam de trap op waar nog sporen te zien waren van natte zolen en duwde de deur van zijn kamer open. Janvier zat op hem te wachten. Het was de tijd van het jaar waarin het contrast het grootst is tussen de kou van buiten en de warmte van binnen, waar het smoorheet lijkt en je meteen een kop als vuur krijgt.

'Nog nieuws?'

Het hele politieapparaat zat achter Pierre Eyraud aan. In de stations keken inspecteurs naar reizigers die min of meer beantwoordden aan zijn signalement. Op de vliegvelden net zo.

De hotelbrigade was op jacht en de hotels en pensions van het achttiende arrondissement zouden worden uitgekamd.

De jeugdige Lapointe liep sinds het begin van de middag te ijsberen voor het Hôtel du Var, waar met het vallen van de duisternis steeds meer hoertjes rondzwierven.

Inspecteur Janin hield zich als de man uit de wijk bezig met meer persoonlijk speurwerk. Het was daar in het noordoosten van Parijs een jungle van steen, waar een man maandenlang kan onderduiken, waar je dikwijls pas weken nadat hij gepleegd is van een misdaad hoort; duizenden schepsels, mannen en vrouwen, leven daar buiten de wet in een wereld waar ze zoveel schuilplaatsen en handlangers vinden als ze maar wensen en waar de politie van tijd tot tijd een net uitgooit, bij toeval een gezocht persoon opvist, maar meer rekent op het telefoontje van een jaloers hoertje of een verklikker.

'Gastine-Renette heeft een uur geleden gebeld.'

Dat was de wapenexpert.

'Wat zei hij?'

'Zijn schriftelijk rapport krijgt u morgenvroeg. De kogel die Louise Filon heeft gedood kwam uit een automatisch pistool kaliber 6,35.'

Bij de Centrale Recherche noemden ze dat het wapen van een amateur. De zware jongens die met voorbedachten rade uit moorden gaan bedienen zich van heel wat serieuzere wapens.

'Dokter Paul heeft ook gebeld. Hij vraagt of u contact met hem wil opnemen.'

Janvier keek op de klok. Het was iets na kwart over zeven.

'Hij moet nu in restaurant La Pérouse zijn, waar er een diner voor hem gegeven wordt.'

Maigret belde naar het restaurant. Even later had hij de medisch expert aan de lijn.

'Ik heb lijkschouwing verricht op het meisje dat u mij gestuurd heeft. Ik kan me vergissen, maar ik heb de indruk dat ik haar al eens eerder gezien heb.'

'Ze is al herhaaldelijk opgepakt.'

De dokter had haar zeker niet aan haar gezicht herkend, dat door het schot verminkt was, maar aan haar lichaam.

'Het schot is natuurlijk van zeer dichtbij afgevuurd, dat kan een leek nog wel zien. Ik schat de afstand op vijfentwintig of dertig centimeter, meer niet.'

'Ik neem aan dat ze op slag dood was?'

'Dat kun je wel zeggen. In haar maag zaten nog onverteerde etensresten, kreeft onder andere.'

Maigret herinnerde zich in de afvalbak in de keuken een leeg blikje kreeft te hebben gezien.

'Ze heeft witte wijn gedronken bij de maaltijd. Is dat interessant?'

Maigret wist het nog niet. In dit stadium van het onderzoek kon je met geen mogelijkheid zeggen wat interessant kon zijn.

'Ik heb nog iets anders ontdekt wat u misschien zal verrassen. Weet u dat het meisje zwanger was?'

Maigret was inderdaad verrast, zo verrast dat hij even sprakeloos bleef.

'Hoe lang al?' vroeg hij toen.

'Ongeveer zes weken. Het is mogelijk dat ze het zelf nog niet wist. En als ze het wist, dan toch niet lang.'

'Dit is heel zeker, mag ik aannemen?'

'Absoluut. U krijgt de technische bijzonderheden in mijn rapport.'

Maigret hing op en zei tegen Janvier die voor het bureau stond te wachten: 'Ze was zwanger.'

Maar Janvier, die alleen de grote lijnen van de zaak kende, keek er niet erg van op.

'Wat doen we met Lapointe?'

'O ja. We moeten aflossing sturen.'

'Ik heb Lober, die niets speciaals te doen heeft.'

'Er moet ook iemand Lucas gaan aflossen. Het heeft waarschijnlijk weinig zin, maar het lijkt me toch beter dat iemand een oogje in het zeil blijft houden in het appartement.'

'Als ik eerst een hapje mag gaan eten, doe ik het zelf wel. Mag je daar slapen?'

'Ik heb er geen bezwaar tegen.'

Maigret keek even de laatste editie van de kranten door. De foto van Pierrot stond er nog niet in. Die was zeker te laat gekomen op de redacties, maar wel werd zijn volledige signalement gegeven.

*De politie zoekt de vriend van het meisje Filon, muzikant in een bal musette, genaamd Pierre Eyraud, roepnaam Pierrot, die haar in de loop van gisterenavond het laatst bezocht heeft. Pierre Eyraud, reeds herhaaldelijk veroordeeld, is plotseling verdwenen en er wordt verondersteld dat hij zich schuilhoudt in de wijk La Chapelle, waar hij goed bekend is.*

Maigret haalde zijn schouders op, ging staan en aarzelde of hij naar de deur zou lopen.

'Laat ik u thuis bellen als er nieuws is?'

Hij zei ja. Langer op kantoor blijven was nergens goed voor. Hij liet zich door een politiewagen naar huis rijden en zoals gewoonlijk maakte mevrouw Maigret de deur van het appartement al open voor hij de knop had omgedraaid. Een opmerking over zijn late thuiskomst liet ze achterwege. Het eten stond klaar.

'Heb je geen kou gevat?'

'Ik denk van niet.'

'Zou je je schoenen niet uittrekken?'

'Ik heb geen natte voeten.'

Dat was inderdaad zo. Hij had de hele dag niet gelopen. Hij zag op een tafeltje dezelfde avondkrant liggen die hij op het bureau had doorgekeken. Zijn vrouw wist er dus ook van, maar ze vroeg hem niets.

Ze wist dat hij de deur nog uit wilde, want hij had zijn stropdas nog niet afgedaan. Meteen na het eten zag ze hem het buffet openmaken om zich een glaasje pruimenjenever in te schenken.

'Ga je nog uit?'

Even daarvoor had hij het nog niet geweten. Eigenlijk had hij wel een telefoontje verwacht van professor Gouin, al was die veronderstelling nergens op gebaseerd. Dacht Gouin niet dat de politie hem zou willen spreken? Was hij niet verbaasd dat niemand in hem geïnteresseerd was, terwijl toch zoveel mensen op de hoogte waren van zijn verhouding met Lulu?

Hij belde naar het appartement van Louise Filon. Lapointe was daar zojuist neergestreken.

'Nog nieuws?'

‘Niets, chef. Ik heb mijn vrouw al gewaarschuwd. Ik zit hier heel rustig. Ik kom de nacht wel door op die prachtige canapé.’

‘Je weet niet of de professor nog thuisgekomen is?’

‘Ik hoorde van Lucas dat hij tegen halfacht naar boven kwam. Ik heb hem niet horen weggaan.’

‘Welterusten.’

Had Gouin geraden dat zijn vrouw met Maigret zou praten? Had ze het voor zich kunnen houden? Wat hadden ze elkaar gezegd toen ze samen zaten te dineren? Trok de professor zich na het eten terug in zijn studeerkamer?

Maigret schonk zich nog een glaasje in, hij dronk het staande bij het buffet uit en liep toen naar de kapstok waar hij zijn dikke winterjas vanaf haalde.

‘Doe een das om. Blijf je lang weg, denk je?’

‘Een uur of twee.’

Hij moest lopen tot aan de boulevard Voltaire voordat hij een taxi zag, die hij het adres gaf van de Grelot. Het was niet druk op straat, behalve in de buurt van Gare de l’Est en Gare du Nord, waar Maigret altijd moest terugdenken aan zijn beginjaren bij de politie.

Op de boulevard de la Chapelle stonden weer de vertrouwde silhouetten onder de bovengrondse metro, elke nacht weer dezelfde, en waar het duidelijk was wat die vrouwen daar deden en op wie ze stonden te wachten, was het moeilijker uit te maken waarom sommige mannen daar in de duisternis en kou niets stonden te doen. Niet allemaal waren ze uit op vluchtig gezelschap. En ook hadden ze niet allemaal hier met iemand afgesproken. Het waren merendeels lieden van diverse pluimage en leeftijd die ’s avonds als ratten uit hun holen kropen en zich waagden aan de randen van hun territorium.

De neonreclame van de Grelot verspreidde een paars licht op een stuk trottoir en in de taxi al hoorde Maigret de doffe muziek, eigenlijk meer het ritme dat een dof gestamp begeleidde. Twee agenten stonden even verderop te posten onder een straatlantaarn en bij de deur stond een dwerg die voor het oog een luchtje aan het scheppen was, maar toen Maigret uit de auto stapte halsoverkop naar binnen liep.

Zo ging dat altijd in dat soort gelegenheden. De commissaris was nog niet binnen of twee mannen liepen snel naar buiten, duwden hem bijna omver en verdwenen in de duistere krochten van de wijk. Andere heren aan de bar keken een andere kant uit toen hij voorbijkwam, in de hoop niet herkend te worden, en ze smeerden hem ook zo gauw hij met zijn rug naar hen toe stond.

De kleine, gedrongen waard kwam naar voren: 'Als u Pierrot zoekt, commissaris...'

Hij praatte expres wat harder en legde de nadruk op het woord commissaris om iedereen in de zaal te waarschuwen. Ook hier was er paars licht en de klanten aan de tafeltjes of in de afgescheiden boxen waren nauwelijks te onderscheiden, want alleen de dansvloer was verlicht en de gezichten die slechts de weerkaatsing van de schijnwerpers opvingen kregen iets spookachtigs.

De muziek stopte niet en de paartjes dansten gewoon door, maar de gesprekken waren verstomd en alle ogen waren gericht op het massieve silhouet van Maigret, die een vrij tafeltje zocht.

'Wilt u gaan zitten?'

'Ja.'

'Deze kant op, commissaris.'

Bij die woorden had de waard iets van een kermisbaas

die zijn klanten naar binnen praat voor het beschilderde doek van zijn barak.

'Wat drinkt u? Ik betaal.'

Maigret was er al op verdacht toen hij binnenkwam. Hij had het vaker meegemaakt.

'Een marc.'

'Een oude marc voor commissaris Maigret, één!'

De vier muzikanten in hun hangende orkestbak droegen een zwarte broek en een overhemd van zwarte zijde met lange pofmouwen. Er was een vervanger gevonden voor Pierrot, want iemand speelde afwisselend saxofoon en accordeon.

'Wilt u mij spreken?'

Maigret schudde ontkennend het hoofd en wees naar de orkestbak.

'De muzikanten?'

'De man die Pierrot het best kent.'

'Dan moet u Louis hebben. Hij is de leider van het orkest. Over een klein kwartiertje is het pauze en kan hij even naar u toe komen. U hebt toch geen haast?'

Nog een stuk of zes personen inclusief een van de dansers voelden de behoefte een luchtje te gaan scheppen. Maigret schonk er geen aandacht aan, keek bedaard om zich heen, en geleidelijk kwamen de gesprekken weer op gang.

Veel meisjes waren duidelijk van lichte zeden, maar ze waren hier niet om een klant te versieren. Ze waren gekomen om te dansen, de meeste met hun boezemvriend, en ze gingen helemaal op in de dans, zagen het als een soort heilig ritueel. Sommige meisjes sloten de ogen als in extase, andere schuifelden wang aan wang met hun partner zonder dat hun lichamen contact probeerden te zoeken.

Er zaten ook typistes in de zaal, verkoopsters, die alleen voor het dansen en de muziek kwamen, en er waren geen pottenkijkers, geen fuivende stelletjes die zoals in de meeste danslokalen een kijkje kwamen nemen hoe het er toegaat in de onderwereld.

In heel Parijs waren er hoogstens een stuk of drie van dit soort dancings; er kwamen alleen stamgasten en er werd meer limonade dan alcohol gedronken.

De vier muzikanten in de hoogte keken onverstoorbaar naar Maigret, van hun gezichten viel weinig af te lezen. De accordeonist was een knappe donkere jongen van een jaar of dertig die veel weg had van een jonge filmheld en als een Spanjaard zijn bakkebaarden liet staan.

Een man met een grote zak in zijn schort haalde geld op.

Sommige paartjes bleven op de dansvloer. Er volgde nog een dans, ditmaal een tango, waarvoor de spotlichten van paars overgingen in rood, zodat de make-up van de vrouwen verdwenen was en de overhemden van de muzikanten vaal waren geworden. Toen zetten ze hun instrumenten neer en de waard riep van beneden een paar woorden naar de accordeonist, die hij Louis had genoemd.

Die keek nóg maar eens naar de tafel van Maigret en besloot toen de ladder af te dalen.

'U kunt plaatsnemen,' zei de commissaris tegen hem.

'Over tien minuten gaan we weer beginnen.'

'Dat moet genoeg zijn. Wat drinkt u?'

'Niets.'

Het was even stil. Aan de andere tafeltjes werd naar hen gekeken. Het aantal mannen aan de bar was toegenomen. In sommige boxen zaten alleen nog vrouwen die hun make-up weer in orde brachten.

Louis sprak het eerst.

'U zit er mooi naast,' zei hij vijandig.

'Hebt u het over Pierrot?'

'Pierrot heeft Lulu niet vermoord. Maar het is altijd weer hetzelfde liedje.'

'Waarom is hij er dan vandoor gegaan?'

'Zo stom is hij nu ook weer niet. Hij weet best dat hij er natuurlijk voor op gaat draaien. Wordt ú soms graag opgepakt?'

'Is het een vriend van u?'

'Het is inderdaad mijn vriend. En er is niemand die hem beter kent dan ik.'

'Misschien weet u dan waar hij is?'

'Als ik het wist zou ik het niet zeggen.'

'Maar u weet het wel?'

'Nee. Sinds we gisternacht afscheid namen heb ik niets meer van hem gehoord. Hebt u de kranten gelezen?'

De stem van Louis trilde van ingehouden woede.

'De mensen denken dat iemand die in een orkestje speelt ook meteen maar een rauwe klant is. Misschien vindt u dat ook wel?'

'Nee.'

'Ziet u die grote blonde jongen die achter het drumstel zit? Nou, geloof het of niet, hij heeft zijn eindexamen gedaan en zelfs een jaar op de universiteit gezeten. Zijn ouders zijn brave burgers. Hij zit hier omdat hij het leuk vindt en volgende week trouwt hij met een meisje dat medicijnen studeert. Ik ben ook getrouwd als het u interesseert, ik heb twee kinderen, mijn vrouw is in verwachting van de derde en we wonen in een vierkamerflat aan de boulevard Voltaire.'

Maigret wist dat het waar was. Louis vergat dat de commissaris dat milieu bijna even goed kende als hijzelf.

Toch vroeg hij op gedempte toon: 'Waarom is Pierrot niet getrouwd?'

'Dat is weer een ander verhaal.'

'Wilde Lulu niet?'

'Dat heb ik niet gezegd.'

'Een paar jaar geleden is Pierrot opgepakt als souteneur.'

'Weet ik.'

'Nou dan?'

'Ik zeg nog eens dat dat een ander verhaal is.'

'Wat voor verhaal?'

'Dat begrijpt u toch niet. Om te beginnen is het een voogdijkind. Begrijpt u wat ik bedoel?'

'Zeker.'

'Met zestien werd hij losgelaten in de stad en probeerde zich daar zo goed als hij kon staande te houden. Misschien zou het met mij in zo'n situatie heel wat slechter zijn afgelopen. Ik heb ouders gehad zoals iedereen en ik heb ze gelukkig nog.'

Hij was er trots op een man te zijn als ieder ander, maar tegelijkertijd voelde hij de behoefte types te verdedigen die zich in de marge van de samenleving ophielden, en Maigret moest er onwillekeurig met sympathie om glimlachen.

'Waarom glimlacht u?'

'Ik herken het wel.'

'Als u Pierrot kende zou u niet al die stille verklikkers achter hem aan sturen.'

'Hoe weet u dat de politie achter hem aan zit?'

'De kranten schrijven toch geen onzin. En je voelt al

dat er heel wat onrust in de buurt is. Als je sommige gezichten ziet weet je wel hoe laat het is.'

Louis hield niet van de politie. Hij maakte er geen geheim van.

'Er is een tijd geweest dat Pierrot graag de harde jongen uithing,' ging hij verder.

'Was hij dat dan niet?'

'U gelooft me nooit als ik zeg dat het een sentimentele, verlegen jongen is. Toch is het zo.'

'Hield hij van Lulu?'

'Ja.'

'Heeft hij haar leren kennen toen ze tippelde?'

'Ja.'

'En ze mocht ermee doorgaan?'

'Wat kon hij anders? Ziet u wel dat u het niet begrijpt!'

'En toen mocht ze er van hem nog een rijke minnaar op na houden en zich laten onderhouden?'

'Dat is iets anders.'

'Waarom?'

'Vertelt u mij nu eens wat hij haar te bieden had? Dacht u soms dat hij haar kon onderhouden met wat hij hier verdient?'

'U onderhoudt toch ook uw gezin?'

'Alweer mis! Mijn vrouw is naaister, werkt tien uur per dag en zorgt intussen ook nog voor de kinderen. U hebt er geen flauw idee van dat je als je hier uit de buurt komt en nooit iets anders hebt gekend...'

Hij kapte zijn zin af.

'Nog maar vier minuten.'

Boven keken de anderen hem strak aan, zonder enige uitdrukking op hun gezicht.

'Maar wat ik zeker weet, is dat hij haar niet vermoord

heeft. En als hij haar niet uit de klauwen van die dokter heeft gehaald...'

'U weet wie de rijke minnaar van Lulu was?'

'En wat dan nog?'

'Heeft Pierrot u dat verteld?'

'Iedereen weet toch dat het in het ziekenhuis begonnen is. Ik zal u eens uitleggen wat Pierrot dacht. Ze kreeg de kans er voorgoed uit te stappen, een geregeld leventje te beginnen zonder zorgen voor de dag van morgen. Daarom hield hij maar zijn mond.'

'En Lulu?'

'Zij zal ook haar redenen wel gehad hebben.'

'Welke?'

'Dat gaat me niets aan.'

'Wat voor meisje was het?'

'Louis keek naar de vrouwen rondom hem in het café met een gezicht alsof hij wilde zeggen dat het net zo'n type was.

'Ze heeft het knap moeilijk gehad,' zei hij toen, alsof dat genoeg moest zijn. 'Ze was daar niet gelukkig.'

En met 'daar' bedoelde hij natuurlijk het verre Etoile, dat van hieraf een heel andere wereld leek.

'Af en toe kwam ze nog dansen...'

'Maakte ze een verdrietige indruk?'

Louis haalde zijn schouders op. Had dat woord enige betekenis in La Chapelle? Waren er eigenlijk wel vrolijke meisjes? Zelfs de verkoopstertjes kregen onder het dansen iets nostalgisch en riepen om droevige liedjes.

'We hebben nog één minuut. Als u me verder nog nodig hebt moet u een half uur wachten.'

'Heeft Pierrot niets tegen u gezegd toen hij gisteravond terugkwam uit de avenue Carnot?'

'Hij excuseerde zich, had het over belangrijk nieuws en niet meer dan dat.'

'Was hij somber?'

'Hij is altijd somber.'

'Wist u dat Lulu zwanger was?'

Louis staarde hem aan, eerst ongelovig, daarna verbaasd en toen ernstiger.

'Weet u dat heel zeker?'

'De politiedokter die lijkschouwing heeft verricht kan zich echt niet vergissen.'

'Hoeveel maanden?'

'Zes weken.'

Het maakte indruk op hem, misschien wel omdat hij zelf kinderen had en zijn vrouw er weer een verwachtte. Hij riep de ober die in de buurt was en probeerde mee te luisteren.

'Iets te drinken. Ernest. Geef maar wat.'

Hij vergat zowaar dat de minuut voorbij was. Achter de bar loerde de waard in hun richting.

'Dat had ik niet verwacht.'

'Ik ook niet,' gaf Maigret toe.

'De professor is er zeker te oud voor?'

'Mannen kunnen op hun tachtigste nog wel kinderen maken.'

'Als het waar is wat u zegt, is dat nog een reden waarom hij haar niet heeft vermoord.'

'Luister eens, Louis.'

Die keek hem nog steeds enigszins wantrouwend aan, maar zijn agressiviteit was hij kwijt.

'Het kan zijn dat Pierrot nog iets van zich laat horen, op wat voor manier dan ook. U hoeft hem voor mij niet te verlinken. Zeg hem alleen dat ik hem graag wil spreken, waar en wanneer het hem uitkomt. Hebt u dat begrepen?'

'En laat u hem dan weer gaan?'

'Ik zeg niet dat ik het onderzoek stopzet. Ik beloof alleen dat hij weer op vrije voeten is als hij bij me weggaat.'

'Wat wilt u hem dan vragen?'

'Weet ik nog niet.'

'Denkt u nog steeds dat hij Lulu vermoord heeft?'

'Ik denk niets.'

'Volgens mij laat hij niets van zich horen.'

'Als hij het toch doet...'

'Dan breng ik de boodschap over. Nu moet u mij excuseren.'

Hij dronk zijn glas in één teug leeg, klom de orkestbak in en maakte de riemen van zijn accordeon vast om zijn middel en schouders. De anderen vroegen hem niets. Hij boog zich naar hen toe, maar alleen om hun de titel van het volgende nummer aan te kondigen. De mannen aan de bar taxeerden vanuit de verte onderzoekend wie van de aanwezige meisjes ze voor de volgende dans zouden vragen.

'Ober!'

'U hoeft niets te betalen. Rondje van de baas.'

Protesteren had geen zin. Hij stond op, liep naar de deur.

'Bent u nog wat wijzer geworden?'

Er klonk ironie door in de stem van de eigenaar.

'Bedankt voor de marc.'

Het was nutteloos om in de buurt naar een taxi te zoeken en Maigret liep naar de boulevard de la Chapelle, waarbij hij de hoertjes die zich aan hem opdrongen van zich af moest schudden. Op driehonderd meter afstand flonkerden de lichten van het kruispunt op de boulevard Barbès. Het regende niet meer. Dezelfde mist als die ochtend begon neer te dalen over de stad en de autolampen kregen een soort aureool.

De rue Riquet was vlakbij. Hij was al vlug de hoek om en zag daar inspecteur Lober, die bijna even oud was als Maigret maar nooit promotie gemaakt had, tegen de muur een sigaretje roken.

'Niets?'

'Een komen en gaan van allerlei koppeltjes, maar hij is er niet bij.'

Maigret kreeg zin om de goede man naar bed te sturen. Hij had Janvier ook kunnen bellen om hem naar huis te laten gaan. En het toezicht op de stations af te blazen, want hij was ervan overtuigd dat Pierrot niet zou proberen uit Parijs weg te komen. Maar de routine moest zijn beloop hebben. En risico's mocht hij niet nemen.

'Heb je het niet koud?'

Lober rook al naar de rum. Zolang het kroegje op de hoek openbleef zou hij zich niet ongelukkig voelen. Dat was precies de reden waarom hij heel zijn leven inspecteur zou blijven.

'Goedenacht, beste kerel! Als er nieuws is bel je me maar thuis.'

Het was elf uur. De mensen begonnen uit de bioscopen te stromen. Op de trottoirs liepen stelletjes arm in arm, de vrouwen hielden hun arm om het middel van hun vriend, in donkere hoekjes stonden ze stijf tegen elkaar en weer anderen holden om de bus te halen.

Buiten het licht van de boulevards had elke zijstraat zijn geheimen en schimmen en in elke straat scheen wel ergens een gelige neonreclame voor een hotelletje.

Hij liep op het licht af en bij het kruispunt op de boulevard Barbès ging hij een fel verlichte bar binnen waar minstens vijftig personen rondom een reusachtige koperen tapkast stonden.

Hoewel hij van plan was geweest een rum te bestellen, koos hij automatisch voor hetzelfde dat hij gedronken had in Le Grelot: 'Een marc.'

Lulu had hier rondgezworven zoals er nu zoveel meisjes rondzwierven met grote aandacht voor glurende mannenogen.

Hij liep naar de telefooncel, gooide een muntje in het toestel en draaide het nummer van de Quai des Orfèvres. Hij wist niet wie er dienst had, herkende de stem van een zekere Lucien, een nieuwe, die veel werk van zijn studie gemaakt had en al examens voorbereidde om promotie te maken.

'Met Maigret. Nog nieuws?'

'Nee, commissaris. Behalve dan dat twee Arabieren elkaar met messen bewerkt hebben in de rue de la Goutte d'Or. Eentje is gestorven toen hij op de brancard werd gelegd. De ander is er ondanks zijn verwondingen vandoor kunnen gaan.'

Dat was hooguit driehonderd meter daar vandaan. Het had zich nauwelijks twintig minuten geleden afgespeeld, waarschijnlijk toen hij op de boulevard de la Chapelle liep. Hij had er niets van gemerkt, niets gehoord. De moordenaar was misschien vlak langs hem heen gelopen. Er zouden nog meer drama's plaatsvinden voor het einde van de nacht in die wijk, waarvan er een paar de politie ter ore zouden komen en andere pas veel later aan het licht zouden komen.

Ook Pierrot hield zich schuil tussen Barbès en La Villette. Wist hij dat Lulu zwanger was? Had ze hem in de Grelot gebeld om hem te vragen of hij langs wilde komen om hem dat te vertellen?

Volgens dokter Paul was het zes weken. Dat betekende dat ze al een paar dagen haar vermoedens had.

Had ze het er met Etienne Gouin over gehad?

Het was mogelijk maar niet waarschijnlijk. Ze was meer een meisje om naar een huisarts of vroedvrouw te gaan.

Hij kon alleen maar gissen. Thuisgekomen had ze een tijdje in dubio gestaan wat ze doen moest. Volgens mevrouw Gouin was de professor na het avondeten naar Lulu gegaan en er maar een paar minuten gebleven.

Terug aan de bar bestelde Maigret een tweede glas. Hij had geen zin meteen op te stappen. Hij dacht dat hij zich hier in deze omgeving beter op Lulu en Pierrot kon concentreren.

'Aan Gouin heeft ze niets verteld,' zei hij halfluid in zichzelf.

Eerst had ze haar hart uitgestort bij Pierre Eyraud, wat zijn overhaaste bezoek verklaarde.

Zou hij haar in dat geval hebben vermoord?

Eerst moest hij zekerheid hebben of ze wist van haar toestand. Als ze in een andere wijk had gewoond, had hij meteen aangenomen dat ze naar een dokter in de buurt was gegaan. In Etoile, waar ze een vreemde bleef, was dat minder waarschijnlijk.

Hij zou de volgende dag een briefje moeten sturen naar alle dokters en vroedvrouwen in Parijs. Dat leek hem belangrijk. Sinds het telefoontje van dokter Paul was hij ervan overtuigd dat de zwangerschap van Lulu de sleutel van het drama was.

Lag Gouin al rustig te slapen? Profiteerde hij van een vrije avond om aan een boek over de chirurgie te werken?

Het was nu te laat om mevrouw Brault te gaan opzoeken, de werkster die ook niet ver woonde, in de buurt van de place Clichy. Waarom had ze het met geen woord gehad over de professor? Was het aannemelijk dat ze niet wist wie de minnaar van Lulu was, omdat ze daar alleen 's morgens kwam?

Ze kletsten wat af, die twee. Ze was de enige die in dat huis de confidenties van iemand als Louise Filon begrijpen kon.

De conciërge had aanvankelijk niets losgelaten omdat ze veel te danken had aan de professor en vermoedelijk zonder dat ze het zelf wist verliefd op hem was.

Het leek wel of alle vrouwen hem per se in bescherming wilden nemen en misschien was het merkwaardigste nog wel dat die man van tweeënzestig zo'n indruk maakte op die vrouwen. Hij deed niets om ze te verleiden. Hij gebruikte ze, bijna terloops, om zich lichamelijk te ontladen, en niet eentje nam hem zijn cynisme kwalijk.

Maigret zou de assistente, Lucile Decaux, moeten horen. En misschien ook de zus van mevrouw Gouin, de enige op wie de professor tot dusver nog geen vat leek te hebben.

'Hoeveel krijgt u van me?'

Hij stapte de eerste de beste taxi in.

'Boulevard Richard Lenoir.'

'Weet ik, meneer Maigret.'

Dat bracht hem op het idee de taxi op te sporen die Gouin de vorige avond van het ziekenhuis naar zijn woning had gebracht.

Hij had een zwaar, suf gevoel in zijn hoofd door de marc die hij gedronken had en hij deed zijn ogen half dicht terwijl de lichtjes aan weerszijden van de auto voorbijtrokken.

Hij kwam steeds weer uit op Lulu en hij haalde zijn portefeuille uit zijn jaszak om in het schaarse licht van de taxi haar foto's te bekijken. Ook de moeder glimlachte niet toen ze bij de fotograaf zat.

# *Hoofdstuk 5*

De volgende ochtend had hij een onplezierige nasmaak van de marc in zijn mond en toen hem onder de werkvergadering tegen kwart over negen gezegd werd dat er telefoon voor hem was, had hij de indruk dat zijn adem nog steeds stonk naar de slechte alcohol en hij bleef maar het liefst op een afstandje als hij tegen zijn collega's praatte.

Alle afdelingschefs waren zoals elke ochtend verzameld op het bureau van de baas met uitzicht op de Seine en ieder hield een min of meer lijvig dossier vast. Het was nog steeds grauw weer, de rivier had een smerige kleur, de mensen liepen nog even vlug als de vorige dag, vooral als ze over de door de wind gegeselde pont Saint-Michel liepen, waarbij de mannen hun arm omhooghielden om hun hoed vast te houden en de vrouwen die lieten zakken om hun rokken vast te houden.

'U kunt de telefoon hier wel aannemen.'

'Ik ben bang dat het lang gaat duren, chef. Ik kan beter naar mijn kamer gaan.'

De anderen, die de vorige avond vermoedelijk niet allemaal aan de marc hadden gezeten, zagen er niet veel florissanter uit dan hij en iedereen leek in een slecht humeur. Maar misschien was het een kwestie van belichting.

'Bent u het chef?' vroeg de stem van Janvier, waarin Maigret een zekere opwinding hoorde.

'Wat is er gebeurd?'

'Hij is net hier geweest. Zal ik het maar helemaal vertellen?'

Ook Janvier zou er na zijn nacht op de canapé niet erg florissant uitzien.

'Ik luister.'

'Het is hooguit tien minuten geleden gebeurd. Ik had in de keuken een kop koffie gezet en was die aan het drinken. Ik had nog geen jasje aan en ook geen das om, maar ik kon vannacht ook pas heel laat in slaap komen.'

'Was het een rustige avond?'

'Ik heb niets gehoord, ik kon alleen niet slapen.'

'Ga verder.'

'U zult zien dat het eigenlijk heel simpel was, zo simpel dat ik er nog niet over uit kan. Ik hoorde iets verdachts, er werd een sleutel omgedraaid in het slot. Ik hield me stil en ging zó staan dat ik in de salon kon kijken. Iemand kwam de vestibule in, liep door en maakte de tweede deur open. Het was de professor, die langer en magerder is dan ik me had voorgesteld. Hij droeg een donkere lange jas, had een wollen das om zijn hals, een hoed op en handschoenen los in de hand.'

'Wat kwam hij doen?'

'Dat is het hem juist. Ik wou dat ik het uit kon leggen. Hij kwam helemaal niets doen. Hij liep iets verder de salon in, als iemand die thuiskomt. Ik vroeg me even af waar hij zo aandachtig naar stond te kijken en merkte toen dat het mijn schoenen waren die ik op het tapijt had laten staan. Toen hij omkeek zag hij mij en fronste hij zijn wenkbrauwen. Eventjes maar. Hij bleef ijskoud, was absoluut niet geschrokken en leek volkomen op zijn gemak.

Hij keek me aan alsof hij met zijn gedachten ergens anders was en even nodig had om weer tot de realiteit terug te keren. Toen vroeg hij zonder stemverheffing: "Bent u van de politie?"

Ik was zo verbaasd door zijn verschijning en de manier waarop hij reageerde dat ik alleen maar ja kon knikken. We bleven elkaar een tijdje zwijgend aanstaren en hij keek zó strak naar mijn sokken dat ik de indruk kreeg dat hij niet blij was met mijn ongegeneerdheid. Het is maar een indruk, misschien dacht hij helemaal niet aan mijn voeten.

Toen kon ik eindelijk uitbrengen: "Wat kwam u hier doen, professor?"

"Weet u dan wie ik ben?"

Die man geeft je het gevoel dat je lucht bent, zelfs als hij je aankijkt ben je voor hem niet meer dan een bloem op het behang.

"Ik kwam hier voor niets bijzonders," mompelde hij. "Ik kwam alleen maar een kijkje nemen."

En dat deed hij ook, hij keek naar de canapé, met mijn dekens en het kussen, en hij snoof de koffiegeur op. En nog steeds even bedaard zei hij toen: "Ik vind het merkwaardig dat uw baas nog geen belangstelling voor mij getoond heeft. Zeg hem maar, jongeman, dat ik tot zijn beschikking sta. Ik ga nu naar Cochin en ben daar tot elf uur. Daarna ga ik naar de Sint-Jozefkliniek, kom dan thuis voor de lunch en vanmiddag heb ik een zware operatie in het Amerikaans hospitaal in Neuilly."

Hij keek nog eens rond, draaide zich toen om, deed de twee deuren achter zich dicht en was vertrokken. Ik heb het raam opengemaakt om hem weg te zien gaan. Er stond een taxi voor het huis en midden op de stoep wachtte een jonge vrouw met een zware aktetas op hem. Ze maakte het portier open en stapte na hem in. Als ze hem 's morgens af komt halen, zal ze hem waarschijnlijk in de loge bellen dat ze beneden staat te wachten. Dat is alles, chef.'

'Bedankt.'

'Is hij erg rijk, denkt u?'

'Er wordt beweerd dat hij veel geld verdient. Arme patiënten opereert hij gratis, maar als hij zich laat betalen vraagt hij exorbitante bedragen. Waarom vraag je dat?'

'Omdat ik vannacht toen ik niet in slaap kon komen, de spulletjes van mejuffrouw eens heb geïnventariseerd. Ik had iets heel anders verwacht. Er zijn wel twee bontmantels, maar veel bijzonders is dat niet, eentje is meer een soort schapenvacht. Lingerie en schoenen komen allemaal uit heel goedkope winkels. Het is natuurlijk niet wat ze droeg in Barbès, maar het zijn ook geen kleren die je verwacht bij een vrouw die onderhouden wordt door een rijke man. Een chequeboekje heb ik niet gevonden en ook geen papieren die wijzen op een bankrekening. En in haar tas zitten maar een paar briefjes van duizend franc en nog twee in de la van haar nachtkastje.'

'Je kunt wel terugkomen, denk ik. Heb je een sleutel?'

'Ik zag er een in haar handtas.'

'Sluit de deur af. Plak er een draadje of zoiets op, dat we weten of er later nog iemand is binnengekomen. Is de werkster niet gekomen?'

Hij had haar de vorige dag niet gezegd of ze nog terug moest komen om het appartement schoon te maken. Niemand had eraan gedacht dat ze haar geld nog niet had gekregen.

Het was de moeite niet meer om terug te gaan naar de baas, waar de vergadering al afgelopen was. Lober in de rue Riquet zou wel moe en verkleumd zijn, maar nu de bistro's weer open waren had hij zich ongetwijfeld met een paar glazen rum weer wat kunnen opwarmen.

Maigret belde naar de commissaris van de Goutte d'Or.

'Is Janin daar? Is hij vanmorgen niet op komen dagen? U spreekt met Maigret. Wilt u iemand naar de rue Riquet sturen, daar zit een inspecteur van mij, Lober. Zeg hem maar dat hij, als er verder geen nieuws is, zijn rapport doorbelt en dan naar bed mag gaan.'

Hij probeerde zich te herinneren wat hij zich de vorige avond toen hij terugkwam uit Barbès voor de volgende ochtend nog allemaal had voorgenomen. Hij belde Lucas.

'Hoe is het?'

'Goed, chef. Vannacht dachten twee agenten op de fiets uit het twintigste arrondissement dat ze Pierrot te pakken hadden. Ze hebben hem meegenomen naar het bureau, maar het was Pierrot niet maar een kerel die veel op hem leek en toevallig ook muziek maakt in een brasserie aan de place Blanche.'

'Ik had graag dat je naar Béziers belt. Probeer erachter te komen of een zekere Ernest Filon, die een paar jaar geleden daar in het ziekenhuis heeft gelegen, nog in de streek woont.'

'Begrepen.'

'Ik wil ook dat de taxichauffeurs die gewoonlijk 's avonds in de buurt van Cochin staan gehoord worden. Eentje moet de professor eergisteren naar huis hebben gebracht.'

'Verder nog iets?'

'Dat is voorlopig alles.'

Het hoorde bij de routine. En behalve de rapporten van de politiedokter en Gastine-Renette, lag er een hoge stapel stukken op zijn bureau te wachten die allemaal getekend moesten worden.

Hij onderbrak zijn werk om het telefoonnummer op te vragen van zijn vriend Pardon, die arts was en die hij vrij geregeld eens in de maand zag.

'Erg druk?'

'Een stuk of vijf patiënten in de wachtkamer. Minder dan normaal in deze tijd van het jaar.'

'Ken je professor Gouin?'

'Hij heeft diverse patiënten van mij geopereerd en ik heb hem er ook wel eens bij geassisteerd.'

'Wat is je mening over hem?'

'Hij is momenteel een van onze beste specialisten, al heel lang trouwens. In tegenstelling tot veel chirurgen heeft hij niet alleen de handigheid maar ook de hersens en we hebben een paar ontdekkingen aan hem te danken waar we nog lang plezier van kunnen hebben.'

'Als mens?'

'Wat wil je eigenlijk weten?'

'Jouw indruk.'

'Moeilijk te zeggen. Hij is niet erg toeschietelijk, zeker niet voor een onbeduidende huisarts als ik. Maar met andere collega's is hij ook nogal afstandelijk.'

'Is hij niet erg geliefd?'

'Ze zijn eerder bang van hem. Hij kan heel onhebbelijk zijn als je iets van hem te weten wil komen. Hij schijnt soms keihard te zijn tegen sommige patiënten. Het verhaal gaat dat een schatrijke oude dame hem smeekte haar te opereren en hem daarvoor een klein fortuin aanbood. Weet je wat hij antwoordde: "Met die operatie wint u twee weken, misschien een maand. Ik kan mijn tijd beter besteden om van een andere patiënt zijn hele leven te redden." Afgezien daarvan is het hele personeel van Cochin gek op hem.'

'Vooral de vrouwen?'

'Weet je dat ook al? Op dat gebied is het bijna een pathologisch geval. Soms kan hij meteen na een operatie... Je begrijpt me?'

'Ja. Is dat alles?'

'Toch is hij nog steeds een man van formaat.'

'Bedankt, beste kerel.'

Hij had zin om een praatje te maken met Désirée Brault, al wist hij niet precies waarom. Hij kon haar oproepen of laten ophalen. Zo gingen de meeste commissarissen te werk en sommigen kwamen dan de hele dag hun kamer niet meer uit.

Hij liep even langs bij Lucas, die aan het telefoneren was.

'Ik ben een paar uurtjes de hort op.'

Hij stapte in een politieauto en liet zich rijden naar de rue Nolet, achter de place Clichy, waar de werkster van Lulu woonde. Het vervallen pand had al in geen twintig jaar een likje verf gezien en de gezinnen die erin opgehoopt waren puilden uit op de overlopen en de trappen, waar kinderen speelden.

Mevrouw Brault woonde op de vierde verdieping aan de achterkant. Er was geen lift, de trappen waren steil en Maigret moest onderweg twee keer even stilstaan, en snoof dan min of meer aangename geuren op.

'Wat is er?' riep iemand toen hij op de deur klopte. 'Kom erin. Ik kan u niet opendoen.'

Ze stond in de keuken op blote voeten en in haar onderjurk de was te doen in een zinken teil. Ze schrok niet toen ze de commissaris herkende, groette hem niet

en wachtte eenvoudig af tot hij iets zeggen zou.
'Ik kwam zo maar even langs.'
'Ach gut!'
Door de dampende was waren de ruiten beslagen. Vanuit een aangrenzend vertrek klonk gesnurk. Maigret zag daar het voeteneind van een bed en mevrouw Brault maakte snel de deur dicht.
'Mijn man slaapt,' zei ze.
'Dronken?'
'Het oude liedje.'
'Waarom hebt u mij gisteren niet verteld wie die rijke minnaar van Lulu was?'
'Omdat u er niet naar vroeg. Ik weet nog goed dat u me vroeg of ik wel eens een man bij haar op bezoek had gezien.'
'En die hebt u nooit gezien?'
'Nee.'
'Maar u wist wel dat het de professor was?'
Aan haar gezicht was duidelijk te zien dat ze er heel wat meer van wist. Maar ze zou alleen iets loslaten als er een beetje druk achter stond. Niet omdat ze zelf iets te verbergen had. En waarschijnlijk ook niet om iemand in bescherming te nemen. Het was voor haar een principe de politie tegen te werken, wat eigenlijk vrij normaal was omdat ze door die politie al haar hele leven achterna was gezeten. Ze hield niet van politieagenten. Dat waren haar natuurlijke vijanden.
'Had uw mevrouw het ooit over hem?'
'Dat zal wel eens zijn voorgekomen.'
'Wat zei ze dan?'
'Ze zei zoveel!'
'Wilde ze graag weg bij hem?'
'Ik weet niet of ze weg wilde, maar ze was niet geluk-

kig in dat huis.'

Hij was op eigen initiatief op een stoel gaan zitten en hoorde de strooien zitting kraken.

'Wat hield haar tegen om bij hem weg te gaan?'

'Ik heb het haar niet gevraagd.'

'Hield ze van Pierrot?'

'Ik zou zeggen van wel.'

'Kreeg ze veel geld van Gouin?'

'Ze hoefde haar handje maar op te houden.'

'En dat deed ze vaak?'

'Zo gauw er niets meer in huis was. Soms vond ik alleen wat kleingeld in haar tas of in de la als ik boodschappen moest gaan doen. Dat zei ik dan en zij antwoordde: "Ik zal er straks om vragen."'

'Kreeg Pierrot daar ook wat van mee?'

'Daar ga ik niet over. Als ze het een beetje slimmer had aangepakt....'

Ze zweeg.

'Wat dan?'

'Om te beginnen was ze dan nooit in dat huis gaan wonen, dat was gewoon een gevangenis voor haar.'

'Mocht ze van hem de deur niet uit?'

'Meestal durfde ze niet weg te gaan omdat ze maar nooit wist of meneer nog even aan kwam wippen. Ze was niet zijn maîtresse, maar meer een soort dienstbode, met dit verschil dan dat ze niet hoefde werken maar plat moest gaan. Als ze ergens anders was blijven wonen en hij er op uit had gemoeten... Maar waar is dit eigenlijk goed voor? Wat wilt u eigenlijk van mij?'

'Informatie.'

'Vandaag komt u voor informatie en ben ik een brave meid. En als ik morgen iets te lang voor een etalage stilsta stopt u me in de bak. Wat wilt u voor informatie?'

Ze hing haar wasgoed te drogen op een lijn die dwars door de keuken ging.

'Wist u dat Lulu zwanger was?'

Ze draaide zich met een ruk om.

'Van wie hebt u dat?'

'De lijkschouwing wijst het uit.'

'Dan had ze dus toch gelijk.'

'Wanneer heeft ze het er met u over gehad?'

'Misschien drie dagen voordat ze een kogel door haar hoofd kreeg.'

'Ze was er niet zeker van?'

'Nee. Ze was nog niet bij de dokter geweest. Ze durfde niet.'

'Waarom?'

'Omdat ze bang was dat ze teleurgesteld zou worden.'

'Wilde ze graag een kind?'

'Ze vond het wel fijn om zwanger te zijn. Het was nog te vroeg om echt blij te zijn. Ik heb haar gezegd dat dokters tegenwoordig een trucje hebben om zelfs na een paar weken al zeker te zijn.'

'Is ze naar een dokter gegaan?'

'Ze vroeg me of ik er een wist en ik heb haar het adres gegeven van iemand die ik ken, hier vlakbij in de rue des Dames.'

'Weet u of ze daar ook geweest is?'

'Als ze er geweest is heb ik daar niets van gehoord.'

'Wist Pierrot ervan?'

'Kent u de vrouwen een beetje? Bent u ooit een vrouw tegengekomen die met een man over dat soort dingen begon voor ze het heel zeker wist?'

'Denkt u dat ze het er ook met de professor over heeft

gehad?'

'Probeer eens uw verstand te gebruiken.'

'Hoe zou het verder gegaan zijn als ze niet vermoord was, denkt u?'

'Ik kan geen koffiedik kijken.'

'Zou ze het kind hebben gehouden?'

'Zeker.'

'En bij de professor zijn gebleven?'

'Als ze er niet met Pierrot vandoor was gegaan.'

'Wie was de vader volgens haar?

Ook nu keek ze hem aan alsof hij er echt helemaal niets van begreep.

'U denkt toch zeker niet dat het die ouwe vent was?

'Dat komt voor.'

'Zoiets lees je alleen in de krant. Maar vrouwen zijn nu eenmaal geen koeien die in een stal zitten opgesloten en eenmaal per jaar naar de stier worden gebracht, dus zeker kun je nooit zijn.'

De man in de kamer ernaast lag te woelen in zijn bed en gromde. Ze maakte de deur open.

'Nog even, Jules! Er is hier iemand. Over een paar minuten krijg je een bakje koffie.'

En naar Maigret: 'Hebt u nog wat te vragen?'

'Niet echt. Had u eigenlijk een hekel aan professor Gouin?'

'Ik heb hem nooit gezien, zoals ik al zei.'

'Maar toch had u een hekel aan hem?'

'Ik heb de pest aan al die lui.'

'Laten we eens veronderstellen dat u 's morgens de salon in kwam en een revolver in de hand van Lulu had gezien of op het tapijt vlak bij haar hand. Zou u dan niet in de verleiding zijn gekomen die revolver te verdonkeremanen, zodat het geen zelfmoord leek maar de professor daardoor in de problemen kwam?'

'Wordt u daar nu nooit eens moe van? Denkt u heus dat ik zo stom ben dat ik niet zou weten dat als de politie de keuze heeft tussen een hoge ome en een armzalige muzikant als Pierrot, het altijd de arme sloeber is die aan het kortste eind trekt?'

Ze schonk koffie in een kom, deed er suiker in en riep naar haar man: 'Ik kom eraan!'

Maigret drong maar niet verder aan. Pas op de drempel draaide hij zich om en vroeg hij naar naam en adres van de dokter in de rue des Dames.

Het was een zekere Duclos. Hij had zich nog maar pas gevestigd en was kennelijk net afgestudeerd, want zijn spreekkamer was bijna leeg op wat onmisbare, tweedehands aangeschafte instrumenten na. Toen Maigret hem vertelde wie hij was leek de dokter meteen te begrijpen waar het om ging.

'Ik dacht al dat er vroeg of laat iemand zou komen.'

'Heeft ze haar naam genoemd?'

'Ja. Ik heb zelfs haar kaart ingevuld.'

'Sinds wanneer wist ze dat ze zwanger was?'

De dokter had nog iets studentikoos en om gewichtig te doen raadpleegde hij een bijna lege kaartenbak.

'Ze kwam zaterdag op aanraden van een vrouw die ik behandeld heb.'

'Ja, mevrouw Brault.'

'Ze zei me dat ze misschien zwanger was en dat ze het zeker moest weten.'

'Wacht even. Had u de indruk dat ze ongerust was?'

'Ik dacht van niet. Als me dat gevraagd wordt door zo'n soort meisje verwacht ik er meteen achteraan of ik voor abortus kan zorgen. Dat gebeurt twintig keer in een week. Of het in andere wijken net zo is zou ik niet weten. Maar goed, ik heb haar toen onderzocht en om het gebruikelijke flesje urine gevraagd. Ze wilde weten hoe het verder ging en ik heb haar toen iets verteld over de kikkertest.'

'Hoe reageerde ze?'

'Ze vroeg heel bezorgd of we die kikker ook dood moesten maken. Ik heb haar gezegd dat ze maandagmiddag terug moest komen.'

'Is ze gekomen?'

'Om halfzes. Ik zei dat ze inderdaad zwanger was en ze bedankte me toen.'

'Dat was alles wat ze zei?'

'Ze vroeg het nog een keer en ik heb toen nog maar eens herhaald dat het heel zeker was.'

'Leek ze gelukkig?'

'Ik zou zweren van wel.'

Dus, maandag tegen zes uur verliet Lulu de rue des Dames en ging weer terug naar de avenue Carnot. Tegen achten was de professor na zijn diner volgens mevrouw Gouin een paar minuten in het appartement op de derde verdieping, waarna hij naar het ziekenhuis ging.

Tot ongeveer tien uur was Louise Filon alleen thuis. Ze had een blikje kreeft gegeten en een beetje wijn gedronken. Daarna was ze kennelijk naar bed gegaan, want het bed was beslapen, niet overhoop gehaald alsof ze met een man had gevreeën, maar gewoon beslapen.

Pierrot was toen al in de Grelot en ze had hem meteen kunnen bellen. Maar ze had hem pas tegen halftien gebeld.

Had ze hem onder zijn werk naar Etoile laten komen om het grote nieuws te vertellen? Zo ja, waarom had ze zo lang gewacht?

Was Pierrot in een taxi gesprongen? Volgens de conciërge was hij een minuut of twintig in het appartement gebleven.

Gouin was, nog steeds volgens de conciërge en zijn vrouw, iets na elven uit het ziekenhuis thuisgekomen en was toen niet naar zijn maîtresse gegaan.

De volgende ochtend om acht uur had mevrouw Brault, toen ze aan het werk wilde gaan, Louise dood aangetroffen op de canapé in de salon en ze beweerde dat er geen wapen bij het lijk had gelegen.

Dokter Paul, altijd voorzichtig met zijn conclusies, situeerde het tijdstip van overlijden tussen negen en elf uur. Dankzij het telefoontje in de Grelot kon negen uur worden vervangen door halftien.

De vingerafdrukken die waren gevonden in het appartement konden maar van vier personen zijn: Lulu zelf, de werkster, de professor en Pierre Eyraud. Moers had iemand naar Cochin gestuurd om de vingerafdrukken van Gouin te fotograferen op een kaart die hij even tevoren in het ziekenhuis had ondertekend. Met de drie anderen was men vlug klaar geweest, want hun gegevens waren allang bekend bij de recherche.

Lulu had kennelijk niet verwacht dat ze zou worden aangevallen, want de dader had van heel dichtbij kunnen schieten.

Het appartement was niet overhoop gehaald, wat aangaf dat het de moordenaar niet om geld te doen was geweest of om een of ander document.

'Dank u, dokter. In neem aan dat er na haar bezoek niemand meer langs is gekomen om informatie over haar? U bent ook niet gebeld door iemand die iets over haar aan de weet wilde komen?'

'Nee. Toen ik in de krant las dat ze vermoord was, verwachtte ik al bezoek van de politie, want ze was gestuurd door haar werkster en die moest ervan gehoord hebben. Om de waarheid te zeggen, als u vanmorgen niet was gekomen had ik vanmiddag zelf wel contact opgenomen.'

Even later belde Maigret vanuit een bistro in de rue des Dames naar mevrouw Gouin. Die herkende zijn stem en scheen niet verbaasd.

'Ik luister, commissaris.'

'U hebt mij gisteren verteld dat uw zus in een bibliotheek werkt. Mag ik vragen waar?'

'De openbare bibliotheek op de place Saint-Sulpice.'

'Dank u.'

'Hebt u al iets ontdekt?'

'Alleen dat Louise Filon zwanger was.'

'O?'

Hij had meteen spijt dat hij het over de telefoon had verteld, want zo kon hij geen conclusies trekken uit haar reactie.

'U bent verbaasd?'

'Nogal ja... Misschien is het belachelijk, maar zoiets verwacht je niet bij een bepaald soort vrouwen. Je vergeet dat ze net zo in elkaar zitten als wij.'

'U weet niet of uw man op de hoogte was?'

'Dan had hij het me wel verteld.'

'Heeft hij nooit kinderen gehad?'

'Nooit.'

'Wilde hij er geen?'

'Ik geloof dat het hem niet interesseerde of hij kinderen had of niet. Wij konden er in ieder geval geen krijgen.

Waarschijnlijk door mij.'

Het zwarte dienstwagentje bracht hem naar de place Saint-Sulpice, het plein in Parijs waar hij om onduidelijke redenen de meest grondige hekel aan had. Hij had er altijd de indruk dat hij ergens in de provincie was. Zelfs de winkels zagen er voor zijn gevoel anders uit en de voetgangers leken slomer en kleurlozer.

De bibliotheek was zo mogelijk nog kleurlozer, slecht verlicht, stil als een lege kerk, en op dit uur van de dag waren er maar een stuk of vier mensen aanwezig, vaste bezoekers waarschijnlijk, die stoffige boekwerken aan het raadplegen waren.

Antoinette Ollivier, de zus van mevrouw Gouin, zag hem naderbij komen. Ze leek ouder dan haar vijftig jaar en had de enigszins minachtende zelfverzekerdheid van bepaalde vrouwen die de waarheid in pacht denken te hebben.

'Ik ben commissaris Maigret van de Recherche.'

'Ik had u al herkend van foto's.'

Ze sprak op fluistertoon alsof ze echt in de kerk was. Hij had trouwens meer de indruk dat hij in een school was toen ze hem een stoel wees aan de tafel waar een groen kleed over hing en die dienst deed als bureau. Ze was vleziger dan haar zus Germaine, maar er zat weinig leven in dat vlees en haar huid had de fletse tint die je soms aantreft bij kloosterzusters.

'Ik neem aan dat u me een verhoor komt afnemen?'

'Dat hebt u goed begrepen. Van uw zus heb ik gehoord dat u gisteravond bij haar op bezoek geweest bent.'

'Dat klopt. Ik kwam daar tegen halfnegen en ben weer weggegaan om halftwaalf, meteen toen het heerschap binnenviel, u weet wel.'

Het moest voor haar het toppunt van minachting zijn

zelfs de naam van haar zwager niet uit te spreken en ze leek zeer ingenomen met het woord heerschap, waarvan ze de lettergrepen nauwkeurig afbeet.

'Brengt u vaak een avond door bij uw zus?'

Om de een of andere reden dacht Maigret dat ze op haar hoede was en nog terughoudender zou zijn dan de conciërge of mevrouw Brault. Die twee anderen gaven voorzichtig antwoord omdat ze bang waren iets ten nadele te zeggen van de professor. Maar deze dame was waarschijnlijk bang iets in zijn voordeel te zeggen.

'Zelden,' antwoordde ze zuinig.

'Is dat een keer in de zes maanden, een keer per jaar, een keer in de twee jaar?'

'Misschien een keer per jaar.'

'Had u met haar afgesproken?'

'Met een zus spreek je niet af.'

'U ging erheen zonder dat u wist of ze thuis zou zijn? Hebt u telefoon in uw appartement?'

'Ja.'

'En u hebt uw zus niet gebeld?'

'Ze belde mij.'

'Om te vragen of u langskwam?'

'Niet met zoveel woorden. Het was een kletspraatje.'

'Waar ging het over?'

'Vooral over de familie. Ze schrijft niet vaak. Ik heb meer contact met mijn andere broers en zussen.'

'Zei ze dat ze u wilde spreken?'

'Zoiets. Ze vroeg of ik tijd had.'

'Hoe laat was dat?'

'Ongeveer halfzeven. Ik kwam net thuis en was aan het koken.'

'Vond u het niet vreemd?'

‘Nee. Wel wilde ik zeker weten dat hij er niet zou zijn. Wat heeft hij tegen u gezegd?’

‘U hebt het over professor Gouin?’

‘Ja.’

‘Tot nu toe heb ik hem nog geen verhoor afgenomen.’

‘Omdat u denkt dat hij onschuldig is? Omdat hij een beroemd chirurg is, lid van de medische faculteit en...’

Ze ging niet harder praten maar er kwam meer emotie los in haar stem.

‘Wat is er precies gebeurd,’ onderbrak hij haar, ‘vanaf het moment dat u aankwam in de avenue Carnot?’

‘Ik ging naar boven, heb mijn zus een kus op haar wang gegeven, deed mijn jas uit en zette mijn hoed af.’

‘Waar ging u zitten?’

‘In het kamertje naast de slaapkamer, dat ze haar boudoir noemt. De grote salon is erg ongezellig en wordt bijna nooit gebruikt.’

‘Wat hebt u gedaan?’

‘Wat zusjes van onze leeftijd doen als ze elkaar al in geen maanden gezien hebben. We hebben gekletst. Ik heb haar bijgepraat over iedereen. Vooral over François, een neef die een paar jaar geleden tot priester is gewijd en binnenkort als missionaris naar Noord-Canada gaat.’

‘Hebt u iets gedronken?’

De vraag verraste haar, choqueerde haar zó dat ze er een kleurtje van kreeg.

‘Eerst hebben we een kop koffie gedronken.’

‘En toen?’

‘Ik moest een paar keer niezen. Ik zei tegen mijn zus dat ik bang was kou te hebben gevat toen ik de metro uit kwam waar het snikheet was. Bij mijn zus was het ook veel te warm.'

'Was er nog personeel in het appartement?'

'De twee meisjes zijn tegen een uur of negen naar boven gegaan, nadat ze eerst nog goedenavond waren komen zeggen. Mijn zus heeft al twaalf jaar dezelfde kokkin. De kamermeisjes volgen elkaar sneller op als u begrijpt wat ik bedoel.'

Hij wist waar ze het over had, had het al begrepen.

'Dus, u moest niezen...'

'Germaine stelde voor een grog te maken en ging daarvoor naar de keuken.'

'Wat deed u in de tussentijd?'

'Ik las een artikel in een tijdschrift dat toevallig over ons dorp ging.'

'Bleef uw zus lang weg?'

'Tot het water kookte voor twee glazen.'

'Bleef u die andere keren net zolang tot uw zwager thuiskwam?'

'Ik vermijd zo veel mogelijk zijn gezelschap.'

'U was verrast toen u hem thuis zag komen?'

'Mijn zus had gezegd dat hij niet voor middernacht terug zou zijn.'

'Hoe zag hij eruit?'

'Zoals altijd, als iemand die boven alle normen van moraal en fatsoen staat.'

'Zag u iets bijzonders aan hem?'

'Ik heb hem volkomen genegeerd. Ik heb mijn hoed opgezet, mijn jas aangetrokken en heb de deur achter me dichtgesmeten.'

'Had u in de loop van de avond een geluid gehoord dat op een schot leek?'

'Nee. Tot elf uur zat er iemand in de flat boven piano

te spelen, Chopin geloof ik.'

'Wist u dat de maîtresse van uw zwager in verwachting was?'

'Dat verbaast me niets.'

'Zei uw zus daar iets over?'

'Ze heeft het niet over die meid gehad.'

'Ze had het nooit over haar?'

'Nee.'

'Toch was u op de hoogte?'

Weer werd ze rood.

'Ze zal er in het begin terloops wel eens iets over gezegd hebben, toen het heerschap haar in de flat onderbracht.'

'Zat ze daar over in?'

'Iedereen heeft zo zijn opvattingen. En je leeft niet jaar in jaar uit met zo'n man zonder dat je er iets van meekrijgt.'

'Met andere woorden, uw zus maakte haar man geen verwijten dat hij een verhouding had en ze nam het hem niet kwalijk dat Louise Filon in de flat woonde?'

'Waar wilt u heen?'

Hij zou eigenlijk niet geweten hebben wat hij daarop moest antwoorden. Hij had het idee steeds iets dieper te graven, zonder te weten waar hij zou uitkomen maar wel met het vaste voornemen een steeds scherper beeld te krijgen van Lulu en de mensen om haar heen.

Ze werden gestoord door een jongeman die boeken kwam halen en Antoinette liet de commissaris een minuut of zes alleen. Toen ze terugkwam had ze een nieuwe dosis haat verzameld tegen haar zwager en ze begon meteen, nog voordat Maigret zijn mond had kunnen opendoen.

'Wanneer gaat u hem arresteren?'

‘Denkt u dat hij de moordenaar is van Louise Filon?’
‘Wie anders?’
‘Misschien haar minnaar Pierrot, om maar iemand te noemen.’
‘Waarom zou die het gedaan hebben?’
‘Uit jaloezie of omdat ze van plan was met hem te breken.’
‘En denkt u dat die ander niet jaloers was? Zou een man van zijn leeftijd niet woedend kunnen worden als hij ingeruild werd voor een jonge vent? En als zij nu eens besloten had met hém te breken?’
Ze leek hem te willen hypnotiseren om hem nog duidelijker in te prenten dat de professor het gedaan had.
‘Als u hem beter kende, zou u begrijpen dat hij niet veel scrupules heeft om iemand uit de weg te ruimen.’
‘Ik dacht anders dat hij zijn leven wijdde aan het redden van mensenlevens.’
‘Pure ijdelheid! Om iedereen te bewijzen dat hij de grootste chirurg van onze tijd is. Het beste bewijs is dat hij alleen maar moeilijke operaties doet.’
‘Misschien omdat de meer eenvoudige ook wel door iemand anders gedaan kunnen worden.’
‘U verdedigt hem zonder dat u hem kent.’
‘Ik probeer het te begrijpen.’
‘Zo ingewikkeld is het toch niet!’
‘U vergeet dat de misdaad volgens de politiearts, die zich zelden vergist, gepleegd is vóór elf uur. Maar het was al over elven toen de conciërge de professor binnen zag komen en hij is rechtstreeks naar de vierde etage gegaan.’
‘Het kan toch best zijn dat hij vóór die tijd al een keer terug is geweest?’
‘Ik veronderstel dat we in het ziekenhuis gemakkelijk

na kunnen gaan hoe hij zijn tijd besteed heeft.'

'Hebt u dat al gedaan?'

Nu werd Maigret een beetje rood.

'Nog niet.'

'Nou, doe dat dan! Daar schiet u waarschijnlijk meer mee op dan met de jacht op dat ventje dat toch niets gedaan heeft.'

'Haat u de professor?'

'Hem en al zijn soortgenoten.'

Ze zei het met zoveel nadruk dat de drie bezoekers tegelijkertijd uit hun boeken opkeken.

'U vergeet uw hoed!'

'Ik dacht dat ik hem in de hal had laten liggen.'

Ze wees met een minachtend vingertje naar de hoed op haar groene kleed, waar zo'n mannending in haar ogen iets zeer onfatsoenlijks had.

# *Hoofdstuk 6*

Onderzoektechnisch gesproken zat Antoinette er eigenlijk niet zover naast.

Toen Maigret in het Cochin-ziekenhuis kwam, aan de Faubourg Saint-Jacques, was Etienne Gouin al met zijn assistente vertrokken naar de Sint-Jozefkliniek in Passy. De commissaris had er rekening mee gehouden, want het was al na elven. Hij kwam hier trouwens niet voor de professor. Misschien had hij, zonder dat hij precies wist waarom, eigenlijk nog geen zin in een confrontatie met hem.

De afdeling van Gouin was op de tweede etage en Maigret moest lang parlementeren met de administratie voordat hij naar boven mocht. Het was op de lange gang drukker dan hij verwacht had en de verpleegsters liepen op hun tandvlees. Hij sprak iemand aan die uit een zaal kwam en iets minder gejaagd leek, een vrouw van middelbare leeftijd met al bijna grijze haren.

'Bent u de hoofdzuster?'

'Het daghoofd.'

Hij zei haar wie hij was en ook dat hij haar een paar vragen wilde stellen.

'Waar gaat het over?'

Hij aarzelde of hij zou bekennen dat het voor de professor was. Ze was met hem meegelopen tot aan de deur van een kantoortje maar nodigde hem niet uit binnen te komen.

'Is dat de operatiezaal daar aan het eind van de gang?'

'Een van de operatiezalen, ja.'

'Hoe is het geregeld als een chirurg een deel van de nacht moet doorbrengen in het ziekenhuis?'

'Ik begrijp u niet. U bedoelt, als een chirurg komt opereren?'

'Nee. Als ik me niet vergis komt het voor dat ze hier soms zijn om andere redenen, als ze vrezen voor complicaties of de afloop van een ingreep afwachten.'

'Dat komt voor. En?'

'Waar zijn ze dan?'

'Dat hangt ervan af.'

'Waarvan?'

'Hoe lang ze moeten blijven. Als het maar voor even is, gaan ze naar mijn kamer of lopen ze wat door de gang. Maar als ze uren moeten wachten om eventueel snel te kunnen ingrijpen, gaan ze naar boven waar ze twee of drie kamers bij de interne co-assistenten tot hun beschikking hebben.'

'Gaan ze dan via de trap?'

'Of ze nemen de lift. De kamers zijn op de vierde etage. Meestal rusten ze wat tot ze geroepen worden.

Ze vroeg zich zichtbaar af waar al dat gevraag goed voor was. De kranten hadden de naam van Gouin nog niet in verband gebracht met de dood van Lulu. Het was waarschijnlijk dat ze hier niet op de hoogte waren van zijn verhouding met de vriendin van Pierrot de muzikant.

'Zou ik iemand kunnen spreken die hier eergisterenavond dienst had?'

'Na acht uur?'

'Ja. Om preciezer te zijn in de nacht van maandag op dinsdag...'

'Voor de verpleegsters die nu hier zijn geldt hetzelfde als voor mij, ze zitten allemaal in de dagdienst. Het zou kunnen zijn dat een co-assistent toen dienst had. Wacht u even.'

Ze liep een paar zalen in en uit en kwam toen terug met een lange rossige, knokige jongen met dikke brillenglazen.

'Iemand van de politie,' stelde ze voor, waarna ze in haar kamertje ging zitten zonder hen te vragen of ze binnen wilden komen.

De commissaris noemde ook nog zijn naam.

'Uw gezicht kwam me al heel bekend voor. Wilt u een inlichting?'

'Was u hier in de nacht van maandag op dinsdag?'

'Een groot deel van de nacht. De professor had maandagmiddag een kind geopereerd. Het was heel precair en hij vroeg me om het patiëntje geen moment uit het oog te verliezen.'

'Is hij zelf niet gekomen?'

'Hij heeft een groot deel van de avond in het ziekenhuis doorgebracht.'

'Was u toen samen op deze etage?'

'Hij kwam iets over acht met zijn assistente. We hebben samen aan het bed van de patiënt gezeten en een hele tijd gewacht op complicaties, die zich niet voordeden. Zal ik u de technische bijzonderheden maar besparen?'

'Ik zou er waarschijnlijk niets van begrijpen. Bent u één of twee uur bij de patiënt gebleven?'

'Nog geen uur. Juffrouw Decaux wilde met alle geweld dat de professor ging rusten, want de vorige nacht had hij een spoedoperatie gehad. Toen is hij naar boven gegaan om even te gaan liggen.'

'Hoe was hij gekleed?'

'Hij dacht niet dat hij moest opereren. Dat hoefde trouwens ook niet. Hij had zijn gewone pak aan.'

'Hield juffrouw Decaux u gezelschap?'

'Ja. We hebben wat gepraat. Iets voor elf uur kwam de professor weer naar beneden. Ik was om het kwartier even bij de patiënt geweest. We zijn er toen samen nog eens naar toe gegaan en toen het gevaar geweken leek besloot de professor naar huis te gaan.'

'Met juffrouw Decaux?'

'Ze gaan en komen bijna altijd samen.'

'Dus van kwart voor negen tot elf uur was Gouin alleen op de vierde etage?'

'Alleen op een kamer in elk geval. Ik begrijp niet waarom u mij dat allemaal vraagt.'

'Hij had naar beneden kunnen gaan zonder dat u het zag?'

'Via de trap, ja.'

'Had hij beneden ook langs de balie kunnen lopen zonder dat hij gezien werd?'

'Dat kan. Op artsen die in- en uitlopen wordt niet erg gelet, vooral 's nachts niet.'

'Ik dank u. Mag ik uw naam hebben?'

'Mansuy. Raoul Mansuy.'

Dit had de zus van mevrouw Gouin dus nog niet zo slecht gezien. Het was theoretisch mogelijk dat Etienne Gouin het ziekenhuis verlaten had, zich naar de avenue Carnot had laten rijden en weer was teruggekomen zonder dat iemand hem gemist had.

'Ik vermoed dat ik niet mag weten waarom...' begon de intern toen Maigret aanstalten maakte om weg te lopen.

De commissaris schudde ontkennend zijn hoofd en

ging naar beneden, stak de binnenplaats over en liep naar zijn chauffeur die op de stoeprand naast het zwarte wagentje van de recherche stond. Toen hij aankwam op de Quai des Orfèvres vergat hij door de ruiten van de wachtkamer te kijken, wat toch zijn gewoonte was. Voor hij zijn kamer inging, liep hij nog even binnen bij de inspecteurs waar Lucas meteen opstond om hem iets te zeggen.

'Ik heb nieuws uit Béziers.'

Maigret was de vader van Louise Filon alweer bijna vergeten.

'De man is drie jaar geleden gestorven aan een levercirrose. Daarvóór werkte hij als oproepkracht op het gemeentelijk slachthuis.'

Niemand had zich nog gemeld om de nalatenschap van Louise op te eisen, voor zover daar al sprake van was.

'In de wachtkamer zit een zekere Louis al een half uur op u te wachten.'

'Een muzikant.'

'Dat kan.'

'Breng hem maar naar mijn kamer.'

Maigret liep naar binnen, deed zijn jas uit, zette zijn hoed af, ging zitten en greep naar een van zijn pijpen, die op een rijtje voor het vloeiblad lagen uitgestald. Even later werd de accordeonist binnengelaten. Hij leek niet erg op zijn gemak en keek voor hij ging zitten eerst om zich heen alsof hij een valstrik verwachtte.

'Laat ons maar alleen, Lucas.'

En tegen Louis: 'Als u veel te vertellen hebt, kunt u maar beter uw jas uittrekken.'

'Dat is de moeite niet. Hij heeft me gebeld.'

'Wanneer?'

'Vanmorgen, iets na negenen.'

Hij keek de commissaris onderzoekend aan, aarzelde en vroeg: 'Geldt het nog steeds?'

'Wat ik u gisteren gezegd heb? Natuurlijk. Als Pierrot onschuldig is heeft hij niets te vrezen.'

'Hij heeft haar niet vermoord. Als het wel zo was, zou hij het mij gezegd hebben. Ik heb hem uw boodschap overgebracht en hem uitgelegd dat u bereid bent hem te ontmoeten op de plek die hem uitkomt en dat hij daarna gewoon weer een vrij man is.'

'Laten we elkaar goed begrijpen, ik houd niet van misverstanden. Als ik denk dat hij onschuldig is, is hij zo vrij als een vogeltje. Als ik denk dat hij schuldig is of als ik zo mijn twijfels heb, beloof ik geen misbruik te maken van onze ontmoeting, met andere woorden, ik laat hem gaan, maar het onderzoek gaat dan gewoon verder.'

'Zoiets heb ik hem ook verteld.'

'Wat zei hij toen?'

'Dat hij bereid was u te ontmoeten. Hij heeft niets te verbergen.'

'Kan hij hier komen?'

'Als hij maar niet achternagezeten wordt door journalisten en fotografen. En hij wil hier ook alleen maar komen als hij niet meteen door de politie in de kraag wordt gegrepen.'

Louis sprak langzaam, woog zijn woorden zorgvuldig en verloor Maigret geen moment uit het oog.

'Zouden we dat snel kunnen regelen?' vroeg de commissaris.

Hij keek hoe laat het was. Nog geen twaalf uur. Tussen de middag waren de kantoren van de Quai des Orfèvres rustig, bijna verlaten. Juist het moment van de dag dat

Maigret zo veel mogelijk reserveerde voor de meer delicate verhoren.

'Hij kan hier over een half uur zijn.'

'Dan moet u even goed luisteren. Ik ga ervan uit dat hij nog wat geld op zak heeft. Hij moet een taxi nemen en zich laten afzetten voor het huis van bewaring aan de quai de l'Horloge. Het is daar niet druk. Hij valt daar niet op. Een inspecteur van mij wacht hem daar bij de deur op en brengt hem dwars door het Paleis van Justitie hier bij mij.'

Louis stond op, keek Maigret goed aan, in het besef dat alle verantwoordelijkheid voor zijn vriend nu op hem neerkwam.

'Ik geloof u,' zei hij toen met een zucht. 'Een half uur, op zijn hoogst een uur.'

Toen hij weg was belde Maigret naar de brasserie Dauphine om wat verversingen te laten brengen.

'Doe maar voor twee personen. En viermaal bier.'

Daarna belde hij zijn vrouw om haar te waarschuwen dat hij niet thuis zou komen voor het middageten.

En ten slotte liep hij voor alle zekerheid naar het kantoor van de baas, die hij toch maar liever op de hoogte bracht van het experiment dat hij ging uitvoeren.

'Denkt u dat hij onschuldig is?'

'Tot het tegendeel bewezen is. Als hij schuldig was zou hij niet naar me toe komen. Of hij zou wel heel brutaal zijn.'

'De professor?'

'Ik weet het niet. Ik weet eigenlijk nog niets.'

'Hebt u hem al gesproken?'

'Nee. Janvier heeft een paar woorden met hem gewisseld.'

De grote baas voelde dat het weinig zin had verder te vragen. Maigret had weer dat stuurse en koppige dat men op de Quai maar al te goed kende en als het zover was moest je maar niet verder aandringen.

'Het meisje was zwanger,' was alles wat hij nog zei, alsof hem dat nog steeds zwaar op de maag lag.

Hij ging terug naar de kamer van de inspecteurs. Lucas was nog niet gaan lunchen.

'De taxi is zeker nog niet gevonden?'

'Er is weinig kans dat we hem vóór vanavond vinden. De chauffeurs die nachtdienst hebben liggen nu in bed.'

'Misschien zou het niet gek zijn om twee taxi's op te sporen.'

'Dat begrijp ik niet.'

'We moeten rekening houden met de mogelijkheid dat de professor zich eerder op de avond om iets voor tienen naar de avenue Carnot heeft laten rijden en daarna weer naar het ziekenhuis is teruggegaan.'

'Ik zal het laten nagaan.'

Hij keek om zich heen welke inspecteur hij naar het huis van bewaring zou sturen om Pierrot op te vangen en koos voor de jonge Lapointe.

'Je moet gaan posten op het trottoir tegenover het huis van bewaring. Op een gegeven ogenblik zie je daar iemand uit een taxi stappen. Dat is de saxofonist.'

'Geeft hij zich over?'

'Hij komt met me praten. Ben een beetje aardig tegen hem. Jaag hem geen schrik aan. Breng hem hier via het binnenplaatsje en de gangen van het Paleis. Ik heb beloofd dat hij geen journalisten tegen zou komen.'

Die slopen bijna altijd door de gang, maar het was gemakkelijk ze even uit de buurt te houden.

Toen Maigret weer op zijn kamer was stonden de broodjes en glazen bier al op een blad op hem te wachten. Hij dronk alvast een biertje, begon nog niet te eten en bleef een kwartier naar de aken staan kijken die over het grauwe water gleden.

Eindelijk hoorde hij de voetstappen van twee mannen, hij ging opendoen en gaf Lapointe een seintje dat hij kon gaan.

'Kom erin, Pierrot.'

Hij zag bleek, had wallen onder zijn ogen en was zichtbaar aangedaan. Net als zijn vriend begon hij eerst om zich heen te kijken als iemand die bang is in de val te lopen.

'We zijn de enigen hier in de kamer,' stelde Maigret hem gerust. 'U kunt uw jas uittrekken. Geef maar hier.'

Hij legde hem over de rugleuning van een stoel.

'Dorst?'

Hij reikte hem een glas bier aan en nam er zelf ook een.

'Gaat u zitten. Ik verwachtte u al.'

'Waarom?'

Zijn stem was hees, als van iemand die de hele nacht op is gebleven en de ene sigaret na de andere heeft gerookt. Twee vingers van zijn rechterhand waren bruin van de tabak. Hij was ongeschoren. Scheren kon zeker niet op de plek waar hij was ondergedoken.

'Hebt u al gegeten?'

'Ik heb geen honger.'

Hij leek jonger dan hij was en hij was zó nerveus dat je er zelf ongedurig van werd. Zelfs op zijn stoel bleef hij trillen van top tot teen.

'U hebt beloofd...' begon hij.

'Ik houd mijn woord.'

'Ik kom hier uit vrije wil.'

'Dat is heel verstandig.'

'Ik heb Lulu niet vermoord.'

Plotseling, op het moment dat Maigret er het minst op verdacht was, barstte hij in snikken uit. Het was waarschijnlijk de eerste keer dat hij zich zo liet gaan, sinds hij gehoord had van de dood van zijn vriendin. Hij huilde als een kind, hij verborg zijn gezicht in zijn handen en de commissaris liet hem maar even. Sinds hij in het restaurantje aan de boulevard Barbès in de krant had gelezen dat Lulu dood was, had hij nog geen tijd gehad om te denken aan haar, maar was hij alleen benauwd geweest voor zijn eigen hachje. Opeens was hij aangeschoten wild geworden, hij kon ieder moment zijn vrijheid, zelfs zijn leven verliezen.

Nu hij hier op de Quai des Orfèvres was, oog in oog met de politie waar hij nachtmerries van had gehad, brak er iets in hem.

'Ik zweer u dat ik haar niet vermoord heb...' herhaalde hij.

Maigret geloofde hem. Dit was niet de stem, de houding van iemand die schuldig is. Louis had gelijk gehad toen hij de vorige dag zijn vriend had gekarakteriseerd als een zwakkeling die de harde jongen probeert uit te hangen.

Met zijn blonde haren, zijn lichte ogen, zijn wat pop-perige gezicht had hij meer weg van een kantoorbediende dan van een slagersjongen en er was weinig fantasie voor nodig hem op zondagmiddag over de Champs Elysées te zien wandelen met zijn vrouw.

'Hebt u echt gedacht dat ik het was?

'Nee.'

'Waarom hebt u het dan in de krant gezet?'

'Ik heb niets gezegd tegen de journalisten. Ze schrijven maar wat. En de omstandigheden...'

'Ik heb haar niet vermoord.'

'Rustig nu maar. Er mag hier gerookt worden.'

De hand van Pierrot trilde nog toen hij zijn sigaret aanstak.

'Dit wil ik u eerst vragen. Toen u naar de avenue Carnot ging, maandagavond, leefde Louise toen nog?'

De ander keek hem met grote ogen aan en riep: 'Natuurlijk!'

Het was waarschijnlijk de waarheid, anders zou hij niet pas bij het lezen van de krant zo geschrokken zijn en meteen het hazenpad hebben gekozen.

'Toen ze u opbelde in de Grelot, had u toen geen vermoeden waar het over zou gaan?'

'Ik had geen flauw idee. Ze was in alle staten en wilde mij meteen spreken.'

'Wat dacht u toen?'

'Dat ze een besluit had genomen.'

'Wat voor besluit?'

'Met alles te kappen.'

'Met wat bijvoorbeeld?'

'Met die ouwe vent.'

'Had u haar dat gevraagd?'

'Al twee jaar smeek ik haar om bij mij in te trekken!'

En alsof hij de commissaris en de hele verdere wereld wilde tarten liet hij er meteen op volgen: 'Ik hou van haar!'

Het klonk niet pathetisch. Hij sprak juist elke lettergreep met nadruk uit.

'Weet u zeker dat u niet een hapje wilt eten?'

Ditmaal pakte Pierrot automatisch een broodje en

Maigret nam er ook een. Zo was het beter. Ze aten nu alle twee en dat brak de spanning. Het was doodstil in het gebouw, op het getik van een typemachine ergens op een kamer na.

'Kwam het vaker voor dat u van Lulu onder uw werk naar de avenue Carnot moest komen?'

'Nee. Niet naar de avenue Carnot. Eén keer maar, toen ze nog in de rue La Fayette woonde en ze zich opeens niet goed voelde. Het was maar een beetje maagpijn, maar ze was wel bang. Ze was altijd bang dat ze dood zou gaan.'

Door alles wat dat woord weer bij hem opriep kwamen er opnieuw tranen in zijn ogen en het duurde even voordat hij weer een hap nam van zijn stokbrood.

'Wat heeft ze u maandagavond gezegd? Wacht even. Voordat u mijn vraag beantwoordt, wil ik eerst weten of u de sleutel hebt van het appartement.'

'Nee.'

'Waarom niet?'

'Dat weet ik niet. Zomaar. Ik ging bijna nooit bij haar op bezoek en als ik er naar toe ging deed ze altijd meteen de deur open.'

'Dus u hebt gebeld en ze deed open.'

'Ik hoefde niet te bellen. Ze stond op me te wachten en maakte meteen de deur open toen ik uit de lift kwam.'

'Ik dacht dat ze in bed lag.'

'Ze was eerst wel naar bed gegaan. Ze zal in bed hebben getelefoneerd. Ze is opgestaan net voor ik kwam en was in peignoir.'

'Leek ze in haar gewone doen?'

'Nee.'

'Hoe dan?'

'Dat is moeilijk te zeggen. Het was net of ze diep had

nagedacht en op het punt stond een beslissing te nemen. Ik werd bang toen ik haar zag.'

'Waarvoor?'

De muzikant aarzelde.

'Nou ja!' gromde hij toen. 'Ik werd bang om die ouwe.

'Zo noemt u de professor?'

'Ja. Ik hield er altijd rekening mee dat hij had besloten te scheiden om met Lulu te trouwen.'

'Was daar dan sprake van?'

'Misschien, maar ze heeft er mij niets over verteld.'

'Had ze graag dat hij met haar trouwde?'

'Ik weet het niet. Ik denk van niet.'

'Hield ze van u?'

'Ik geloof het wel.'

'U weet het niet zeker?'

'Volgens mij zitten vrouwen anders in elkaar dan mannen.'

'Wat wilt u daarmee zeggen?'

Hij verklaarde zich niet nader, misschien kon hij het ook niet en hij haalde maar eens zijn schouders op.

'Het was een arm kind,' mompelde hij toen in zichzelf.

Hij kreeg de happen moeilijk door zijn keel, maar bleef automatisch dooreten.

'Waar ging ze zitten toen u daar was?'

'Ze ging niet zitten. Ze was te onrustig om te gaan zitten. Ze begon op en neer te lopen en zei zonder me aan te kijken: "Ik heb heel belangrijk nieuws voor jou."

En toen gooide ze het er meteen uit: "Ik ben zwanger."'

'Had u de indruk dat ze daar blij om was?'

'Niet blij en niet verdrietig.'

'Dacht u meteen dat het kind van u was?'

Hij durfde niet te antwoorden maar uit zijn houding sprak dat dit voor hem vaststond.

'Wat hebt u toen gezegd?'

'Niets. Ik wist niet wat ik ermee aan moest. Ik wilde haar in mijn armen nemen.'

'Dat vond ze niet goed?'

'Nee. Ze bleef maar lopen. Ze praatte in zichzelf en zei zoiets als: "Ik vraag me af wat ik nu moet doen. Dit verandert alles. Het kan heel belangrijk zijn. Als ik het hem zeg..."'

'Ze bedoelde de professor?'

'Ja. Ze wist niet of ze hem de waarheid moest vertellen of niet. Ze wist niet zeker hoe hij zou reageren.'

En Pierrot, die inmiddels het broodje had weggewerkt, zuchtte moedeloos: 'Ik weet niet hoe ik het uit moet leggen. Ik herinner me de kleinste bijzonderheden en tegelijkertijd is alles heel wazig. Ik had nooit kunnen denken dat het zo zou aflopen.'

'Waar had u dan op gehoopt?'

'Dat ze in mijn armen zou vallen en zou zeggen dat ze eindelijk besloten had met mij mee te gaan.'

'Kwam die gedachte nooit bij haar op?'

'Misschien wel. Ik weet het bijna zeker. Ze wilde best. Toen ze pas uit het ziekenhuis kwam beweerde ze dat ze zo deed omdat ze verplichtingen jegens hem had.'

'Ze dacht dat ze bij Gouin in het krijt stond?'

'Hij heeft haar het leven gered. Hij heeft, denk ik, heel wat meer uren aan haar besteed dan aan wie dan ook van zijn patiënten.'

'Geloofde u dat?'

'Wat bedoelt u?'

'Geloofde u dat Lulu hem zo dankbaar was?'

'Ik heb haar gezegd dat ze toch niet eeuwig zijn maîtresse hoefde te blijven. Hij had genoeg andere vrouwen.'

'Denkt u dat hij verliefd op haar was?'

'Hij mocht haar zeker. Ik denk zelfs dat hij gek op haar was.'

'En u?'

'Bij mij was het echte liefde.'

'Waarvoor heeft ze u eigenlijk laten komen?'

'Dat heb ik me ook afgevraagd.'

'Tegen halfzes kreeg ze van een dokter in de rue des Dames de zekerheid dat ze zwanger was. Had ze toen niet meteen naar u toe kunnen gaan?'

'Ja. Ze wist waar ik gewoonlijk eet voor ik naar de Grelot ga.'

'Ze is naar huis gegaan. Later, tussen halfacht en acht, is de professor langsgekomen.'

'Dat zei ze tegen mij.'

'Zei ze ook dat ze hem het nieuws had verteld?'

'Ze heeft hem nergens van op de hoogte gebracht.'

'Ze heeft toen gegeten en is naar bed gegaan. Waarschijnlijk heeft ze niet geslapen. En tegen negen uur belde ze u op.'

'Dat weet ik. Ik heb erover nagedacht, ik probeerde er iets van te begrijpen en het is me nog steeds een raadsel. Maar ik weet wel heel zeker dat ik haar niet vermoord heb.'

'Beantwoord de volgende vraag eens heel eerlijk, Pierrot: als ze maandagavond gezegd had dat ze u niet meer wilde zien, zou u haar dan vermoord hebben?'

De jongeman keek hem aan en er verscheen een glimlachje om zijn mond.

'Wilt u dat ik mijn hoofd in de strop steek?'

'U hoeft niet te antwoorden.'

'Misschien had ik haar vermoord. Maar op de eerste plaats heeft ze het niet tegen mij gezegd en op de tweede plaats had ik geen revolver.'

'Je had er wel een toen je voor de laatste keer gearresteerd werd.'

'Dat is al jaren geleden en ik heb hem nooit teruggekregen van de politie. Sindsdien heb ik er geen meer. Zo zou ik haar trouwens nooit vermoord hebben.'

'Hoe dan wel?'

'Weet ik niet. Misschien had ik als een gek op haar in geslagen of haar nek omgedraaid.'

Hij keek naar het parket aan zijn voeten, pauzeerde even en zei toen nauwelijks verstaanbaar: 'Misschien had ik ook wel niets gedaan. Soms bedenk je dingen als je niet in slaap kunt komen die je toch maar niet doet.'

'Hebt u dan wel eens bedacht om Lulu te vermoorden als u de slaap niet kon vatten?'

'Ja.'

'Omdat u jaloers was op Gouin?'

Hij haalde nog maar eens zijn schouders op, wat kennelijk betekende dat je het niet zo kon formuleren en dat de waarheid gecompliceerder was.

'Voor Gouin op het toneel kwam, was u al het vriendje van Louise Filon en als ik het goed heb had u er geen bezwaar tegen dat ze tippelde?'

'Dat is heel wat anders.'

Maigret probeerde zo dicht mogelijk bij de waarheid te komen, maar hij besefte dat de absolute waarheid ongrijpbaar was.

'Hebt u nooit geprofiteerd van het geld van de professor?'

'Nooit!' antwoordde hij fel en hij schudde daarbij zo

heftig met zijn hoofd dat er een enorme driftbui leek aan te komen.

'Gaf Louise u dan geen cadeautjes?'

'Alleen wat prulletjes, een ring, dassen, sokken.'

'Die nam u aan?'

'Ik wilde haar geen verdriet doen.'

'Wat zou u gedaan hebben als ze weg was gegaan bij Gouin?'

'We zouden zijn gaan samenwonen.'

'Zoals vroeger?'

'Nee.'

'Waarom niet?'

'Omdat ik daar nooit iets aan heb gevonden.'

'Waar zouden jullie van geleefd hebben?'

'Om te beginnen verdien ik zelf.'

'Niet veel, hoorde ik van Louis.'

'Nou ja, niet veel dan. Maar ik was ook niet van plan in Parijs te blijven.'

'Waar wilde u dan naar toe?'

'Ergens ver weg, Zuid-Amerika of Canada.'

Hij was nog kinderlijker dan Maigret gedacht had.

'Lulu was niet erg enthousiast over dat plan?'

'Soms vond ze het een goed idee, ze heeft me wel eens beloofd dat we over een maand of twee zouden vertrekken.'

'Ze dacht er vooral 's avonds zeker zo over?'

'Hoe weet u dat?'

'En 's morgens zag ze de dingen weer iets nuchterder?'

'Ze was bang.'

'Waarvoor?'

'Dat ze zou creperen van de honger.'

Eindelijk kwam het eruit. De verbittering zat diep bij Pierrot.

'Denkt u niet dat ze bij de professor bleef, juist omdat ze daar zo bang voor was?'

'Misschien.'

'Ze heeft in haar leven vaak honger geleden, niet?'

'Ik toch ook!'

'Maar ze was bang dat ze weer honger zou gaan lijden.'

'Wat probeert u eigenlijk te bewijzen?'

'Nog niets. Ik probeer alleen maar te begrijpen. Eén feit staat vast: maandagavond heeft iemand van dichtbij met een revolver op Lulu geschoten. U was het niet, beweert u en dat geloof ik.'

'Weet u wel zo zeker dat u mij gelooft?' mompelde Pierrot wantrouwend.

'Tot het tegendeel bewezen is.'

'En u laat me weer gaan?'

'Zo gauw we klaar zijn met dit gesprek.'

'U stopt de zaak en zegt tegen uw mannetjes dat ze me met rust moeten laten?'

'Van mij mag u zelfs weer muziek maken in de Grelot.'

'En de kranten?'

'Ik zal straks een communiqué laten uitgaan waarin staat dat u zich uit eigen beweging gemeld hebt bij de recherche en na uw verklaringen in vrijheid bent gesteld.'

'Dat betekent niet dat ik niet meer verdacht word.'

'Dan zet ik er nog bij dat niets wijst op enige betrokkenheid.'

'Dat klinkt al beter.'

'Was Lulu in het bezit van een revolver?'

'Nee.'

'Daarnet zei u nog dat ze bang was.'

'Voor het leven, de armoe, maar niet voor mensen. Een revolver had ze helemaal niet nodig.'

'U bent hooguit een kwartier bij haar geweest maandagavond?'

'Ik moest terug naar de Grelot. Bovendien was ik daar niet graag als die ouwe elk moment binnen kon komen. Hij heeft de sleutel.'

'Kwam dat wel eens voor?'

'Eén keer.'

'Wat gebeurde er toen?'

'Niets. Het was 's middags op een tijd dat hij nooit bij Lulu kwam. We hadden om vijf uur in de stad afgesproken maar er kwam iets tussen en ik kon niet. Omdat ik toch in de buurt was ben ik naar haar toe gegaan. We zaten samen in de salon wat te kletsen toen we de sleutel in het slot hoorden omdraaien. Hij kwam binnen. Ik bleef gewoon zitten. Hij negeerde me volkomen. Hij liep door tot het midden van de salon met zijn hoed op zijn hoofd en hij wachtte zonder iets te zeggen. Hij deed net of ik bij het meubilair hoorde.'

'U weet dus nog steeds niet precies waarom Lulu u maandagavond heeft laten komen?'

'Ik denk dat ze er behoefte aan had om met iemand te praten.'

'Hoe liep het gesprek af?'

'Ze zei tegen mij: "Ik wilde dat je het wist. Wat ik verder ga doen weet ik niet. Je kunt het in ieder geval nog niet zien. Denk er zelf ook maar eens over na."'

'Heeft Lulu nooit tegen u gezegd dat ze wilde trouwen met de professor?'

Hij pijnigde zichtbaar zijn geheugen.

'We waren een keer in een restaurant op de boulevard Rochechouart en we hadden het over een kennisje dat net getrouwd was en toen zei ze: "Ik hoef maar een kik te geven en hij gaat scheiden en trouwt met mij."'

'Geloofde u dat?'

'Hij had het best kunnen doen. Op die leeftijd zijn mannen tot alles in staat.'

Maigret moest onwillekeurig glimlachen.

'Ik zal u maar niet vragen waar u zich sinds gistermiddag verstopt hebt.'

'Dat zeg ik toch niet. Ben ik vrij?'

'Zo vrij als een vogeltje.'

'Als ik buiten ben word ik niet gearresteerd door uw agenten?'

'Het is inderdaad beter dat u de eerste twee uur nog niet te veel opvalt in de buurt, dan kan ik eerst de nodige instructies geven. Op de place Dauphine is een brasserie waar u met rust gelaten wordt.'

'Geef mijn jas maar.'

Hij leek vermoeider dan toen hij binnen was gekomen, omdat de ergste spanning van hem was af gevallen.

'Nog beter zou het zijn als u eerst een kamer nam in een hotelletje om daar eens lekker uit te slapen.'

'Ik zou toch niet kunnen slapen.'

Bij de deur draaide hij zich om.

'Wat doen we met haar?'

Maigret begreep hem.

'Als niemand haar opeist...' begon hij.

'Heb ik het recht haar op te eisen?'

'Als zich geen familie meldt...'

'Kunt u mij zeggen hoe ik dat moet regelen?'

Hij wilde Lulu een fatsoenlijke begrafenis geven en

alle vrienden uit de Barbès-wijk en collega-muzikanten zouden zeker achter de lijkkoets lopen.

Maigret zag zijn vermoeide silhouet verdwijnen in de lange gang. Hij deed langzaam de deur dicht, bleef een tijdje onbeweeglijk midden in het vertrek staan en liep toen naar de kamer van de inspecteurs.

# *Hoofdstuk 7*

Het liep tegen zessen toen de auto van de recherche stopte in de avenue Carnot, ter hoogte van het pand dat bewoond werd door de Gouins, maar langs het trottoir aan de overkant, met de neus in de richting van de place des Ternes. Het was vroeg donker geworden, want net zoals de vorige drie dagen had de zon zich niet laten zien.

Er was licht aan bij de conciërge. Er was ook licht op de vierde verdieping bij de Gouins, in het linker gedeelte van het appartement. Hier en daar waren nog meer ramen verlicht.

Sommige appartementen waren tijdelijk onbewoond. De Ottrebons bijvoorbeeld, Belgen uit de bankierswereld, overwinterden in Egypte. De graaf van Tavera en zijn gezin op de tweede verdieping brachten het jachtseizoen door in hun kasteel ergens ten zuiden van de Loire.

Maigret zat achter in de auto verschanst, diep weggedoken in zijn overjas en met een pijp die net boven zijn opgeslagen kraag uit kwam. Hij hield zich doodstil en had zo'n chagrijnige kop dat de chauffeur na een paar minuten een krant uit zijn zak had gehaald en gemompeld had: 'Mag ik?'

Men kon zich afvragen hoe hij kon lezen met niet meer licht dan het zwakke schijnsel van een gaslantaarn.

Maigret had al de hele middag zo'n gezicht gehad. Het was eigenlijk niet echte humeurigheid, dat wisten zijn medewerkers ook wel, maar het had wel dezelfde uitwerking, en op de Quai des Orfèvres gaf iedereen dan aan elkaar door dat je hem beter niet voor de voeten kon lopen.

Hij was nauwelijks zijn kamer uit geweest, behalve de paar keer dat hij bij de inspecteurs was binnengevallen en hen met grote ogen had aangestaard alsof hij vergeten was wat hij kwam doen. Hij had dossiers afgehandeld die al weken op een stapel lagen, met een ijver alsof ze opeens zeer dringend waren geworden. Tegen halfvijf had hij voor de eerste keer gebeld naar het Amerikaanse hospitaal in Neuilly.

'Is professor Gouin aan het opereren?'

'Ja. Het kan nog wel een uur duren. Met wie spreek ik?'

Hij had opgehangen, nog eens het rapport gelezen dat Janvier had opgesteld over de huurders van het pand inclusief alles wat hij had losgekregen. Niemand had het schot gehoord. Op dezelfde verdieping als Louise Filon woonde aan de rechterkant een zekere mevrouw Mettetal, een nog jonge weduwe die de avond had doorgebracht in de schouwburg. Op de verdieping daaronder had de familie Crémieux een diner gegeven voor een stuk of tien gasten dat nogal luidruchtig geëindigd was.

Maigret had aan een andere zaak gewerkt en een paar onbelangrijke telefoontjes gepleegd. Om halfzes toen hij opnieuw naar Neuilly had gebeld, had men hem geantwoord dat de operatie zojuist beëindigd was en dat de professor zich aan het omkleden was. Toen had hij de wagen genomen.

Er liepen weinig mensen op de trottoirs van de avenue Carnot en veel verkeer was er ook niet. Over de schouder van de chauffeur kon hij een vette kop lezen op de voorpagina van de krant:

PIERROT DE MUZIKANT WEER OP VRIJE VOETEN

Hijzelf had die informatie aan de reporters verstrekt, zoals afgesproken. Het klokje op het dashboard was zwak verlicht en gaf twintig over zes aan. Als er dichterbij een cafeetje was geweest, zou hij een borrel zijn gaan drinken en hij had spijt onderweg niet ergens te hebben aangemeerd.

Pas om tien voor zeven stopte er een taxi tegenover de flat. Etienne Gouin stapte het eerst uit en bleef even staan op de stoep terwijl zijn assistente op haar beurt de auto uit kwam.

Hij stond bij een lantaarn en zijn silhouet tekende zich scherp af tegen het licht. Hij moest een halve kop groter zijn dan Maigret en was bijna even breed geschouderd. Over zijn corpulentie was niet goed te oordelen door een wijde overjas die hem te ruim leek en veel langer was dan de mode dat jaar voorschreef. Het maakte hem waarschijnlijk weinig uit hoe hij overkwam en zijn hoed stond een beetje scheef op zijn hoofd.

Zoals hij daar stond maakte hij de indruk van een dikzak die dramatisch is afgevallen en nog slechts bestond uit een fors beendergestel.

Hij wachtte geduldig met een blik op oneindig terwijl de jonge vrouw geld uit haar tasje haalde om de chauffeur te betalen. Toen de taxi daarna wegreed bleef hij staan luisteren naar wat ze nog te vertellen had. Misschien herinnerde ze hem alvorens afscheid te nemen nog aan de afspraken voor de volgende dag.

Ze liep met hem mee naar de poort waar ze hem zijn zwartleren aktetas overhandigde, keek hem na toen hij de lift instapte en liep weg in de richting van de place des Ternes.

'Volg haar.'

'Goed, chef.'

De auto kon in zijn vrij de licht hellende avenue afglijden. Lucile Decaux liep vlug en keek niet om. Ze was klein, donker en op het eerste gezicht iets aan de mollige kant. Ze ging de hoek om van de rue des Acacias en liep meteen bij een slager binnen, toen bij de bakker ernaast, waarna ze honderd meter verderop een vervallen flat in ging.

Maigret bleef een minuut of tien in de auto zitten alvorens op zijn beurt de flat te betreden en zich te melden bij de conciërge, die in een loge huisde van heel andere klasse dan in de avenue Carnot, grotendeels in beslag genomen door een eenpersoons bed en een kinderledikant.

'Juffrouw Decaux?'

'Vierde verdieping rechts. Ze is net thuis.'

Er was geen lift. Op de vierde verdieping drukte hij op een elektrische bel en hij hoorde binnen voetstappen. Achter de deur vroeg een stem: 'Wie is daar?'

'Commissaris Maigret.'

'Een ogenblik, alstublieft.'

De stem klonk niet verbaasd en had ook niets paniekerigs. Voordat ze opendeed, liep ze naar een andere kamer. Het bleef toen even stil en de commissaris begreep pas waarom toen de deur openging en hij haar zag staan in peignoir, met haar voeten in pantoffeltjes.

'Komt u binnen,' zei ze, hem nieuwsgierig aankijkend.

Het appartement bestond uit drie kamers en een keuken, was kraakhelder en het parket was zo goed geboend dat je er op had kunnen glijden als op een ijsbaan. Hij werd binnengelaten in een salon, meer een soort studio met volle boekenplanken, een pick-up, rekken met grammofoonplaten en een divan waarover een gestreept kleed lag. Boven de open haard, waar de jonge vrouw nog een paar houtblokken had aangestoken, hing een ingelijste foto van Etienne Gouin.

'Zou ik mijn jas uit mogen doen?'

'Gaat uw gang. Ik was juist bezig het wat gezelliger te maken toen u aanbelde.'

Ze was niet knap. Haar trekken waren onregelmatig, haar lippen te vol, maar ze had op het eerste gezicht een goed figuur.

'Ik hou u van het eten af?'

'Dat geeft niets. Gaat u zitten.'

Ze wees hem een fauteuil en nam zelf plaats op de rand van de divan, waarbij ze de zoom van haar peignoir over haar blote benen trok.

Ze vroeg hem niets en bleef hem aankijken zoals sommige mensen een beroemd persoon aanstaren die ze eindelijk in levenden lijve zien.

'Ik wilde u liever niet in het ziekenhuis lastigvallen.'

'Dat had ook moeilijk gekund want ik was in de operatiekamer.'

'Assisteert u meestal bij de operaties van de professor?'

'Altijd.'

'Al lang?'

'Tien jaar al. Voor die tijd was ik een leerling van hem.'

'U bent arts?'

'Ja.'

'Mag ik vragen hoe oud u bent?'

'Zesendertig.'

Ze antwoordde zonder enige aarzeling, op vrij neutrale toon, maar toch had hij de indruk dat ze op haar hoede, misschien zelfs vijandig was.

'Ik ben hier om een paar detailkwesties op te helderen. U weet natuurlijk dat alles gecontroleerd moet worden in dit soort onderzoeken.'

Ze wachtte op de vraag.

'Als ik me niet vergis kwam u maandagavond uw baas afhalen in de avenue Carnot om iets voor acht uur.'

'Dat klopt. Ik heb een taxi aangehouden en heb in de loge van de conciërge naar de professor gebeld dat ik beneden op hem stond te wachten.'

'Doet u dat altijd zo?'

'Ja. Ik kom alleen naar boven als de administratie moet worden gedaan of als ik papieren mee moet nemen.'

'Waar was u toen de professor naar beneden kwam?'

'Voor de deur van de lift.'

'U weet dus dat hij onderweg gestopt is?'

'Hij is een paar minuten op de derde verdieping gebleven. Ik neem aan dat u op de hoogte bent?'

'Helemaal.'

'Waarom hebt u dat niet aan de professor zelf gevraagd?'

Hij gaf er liever geen antwoord op.

'Gedroeg hij zich net als op andere avonden? Had hij niet iets zorgelijks?'

'Hoogstens over de toestand van zijn patiënt.'

'Heeft hij u onderweg niets verteld?'

'Hij praat niet veel.'

'U moet iets na achten in Cochin zijn aangekomen.

Wat gebeurde er toen?'

'We zijn meteen naar de kamer van de patiënt gegaan, samen met de assistent van dienst.'

'Bent u daar de hele avond gebleven?'

'Nee. De professor is ongeveer een half uur in de kamer gebleven voor eventuele complicaties, die zich niet voordeden. Toen zei ik hem dat hij beter maar wat kon gaan rusten.'

'Hoe laat was het toen hij naar de vierde verdieping ging?'

'Ik weet best dat u al die vragen ook al in het ziekenhuis hebt gesteld.'

'Hebt u dat van de hoofdzuster?'

'Dat doet er niet toe.'

'Hoe laat was het?'

'Iets voor negen uur.'

'Bent u niet met hem naar boven gegaan?'

'Ik ben bij de patiënt gebleven. Een kind.'

'Ik weet ervan. Hoe laat is de professor weer naar beneden gekomen?'

'Ik ben hem tegen elven gaan zeggen dat het precies zo was gegaan als hij verwacht had.'

'De kamer waar hij lag te rusten, bent u daar ook binnengegaan?'

'Ja.'

'Was hij aangekleed?'

'In het ziekenhuis rust hij gewoonlijk met zijn kleren aan. Hij had alleen zijn jasje uitgetrokken en zijn das losgemaakt.'

'U bent dus tussen halfnegen en elf uur de hele tijd aan het bed van de patiënt gebleven. Zodat uw baas via de trap naar beneden had kunnen gaan en het ziekenhuis had kunnen verlaten zonder dat u daar iets van gemerkt had?'

Ze moest erop verdacht zijn, want hij had dezelfde vraag in Cochin gesteld en er was natuurlijk met haar over gepraat. Desondanks zag hij haar boezem sneller op- en neergaan. Had ze een pasklaar antwoord?

'Dat zou nooit gekund hebben, want om kwart over tien ben ik naar boven gegaan om te vragen of hij nog iets nodig had.'

Maigret keek haar diep in de ogen en zei zonder enige stemverheffing en zo vriendelijk mogelijk: 'U liegt, hè?'

'Waarom zegt u dat?'

'Omdat ik voel dat u liegt. Luister, juffrouw Decaux, we kunnen uw doen en laten in het ziekenhuis vanavond nog gemakkelijk nagaan. Zelfs als u het personeel geïnstrueerd hebt zal er toch iemand in de war raken en de waarheid opbiechten. U bent niet voor elf uur naar boven gegaan.'

'De professor heeft het ziekenhuis niet verlaten.'

'Hoe weet u dat?'

'Omdat ik hem beter ken dan wie dan ook.'

Ze wees op de avondkrant die op een bijzettafeltje lag.

'Ik zag hem liggen op een tafel in Neuilly en ik heb hem gelezen. Waarom hebt u die jongen laten gaan?'

Ze had het over Pierrot, wiens naam hij vanaf zijn plaats ondersteboven kon lezen.

'Weet u zo zeker dat hij niet de dader is?'

'Ik weet niets zeker.'

'Maar u verdenkt wel de professor ervan dat hij dat meisje vermoord heeft.'

Bij wijze van antwoord vroeg hij: 'Kende u haar?'

'U vergeet dat ik assistente ben van meneer Gouin. Ik was erbij toen hij haar opereerde.'

‘U mocht haar niet zo?’

‘Waarom zou ik een hekel aan haar hebben gehad?’

Omdat hij zijn pijp in zijn hand had zei ze: ‘U mag roken. Dat hindert mij niet.’

‘Klopt het dat er tussen u en de professor een intiemere relatie bestond dan strikt beroepsmatig?’

‘Hebt u dat ook al gehoord?’

Haar glimlach had iets neerbuigends.

‘Bent u erg burgerlijk, meneer Maigret?’

‘Het hangt ervan af wat u daaronder verstaat.’

‘Ik probeer erachter te komen of u heel starre opvattingen hebt over wat fatsoenlijk is of niet.’

‘Ik ben binnenkort vijfendertig jaar bij de politie, jongedame.’

‘In dat geval moet u niet praten over een intieme relatie. Er was intimiteit en dat hoorde gewoon bij ons werk. De rest is volkomen onbelangrijk.’

‘U bedoelt dat er geen sprake is van liefde?’

‘Zeker niet in de betekenis die u eraan geeft. Ik bewonder professor Gouin meer dan wie ook. Ik doe mijn uiterste best zo veel mogelijk voor hem te betekenen. Tien, twaalf uur per dag en vaak nog langer sta ik hem terzijde en soms merkt hij het niet eens meer, zo vanzelfsprekend is dat voor ons geworden. Het komt voor dat we samen een hele nacht opblijven om bepaalde symptomen bij een patiënt waar te nemen. Als hij in de provincie of in het buitenland moet opereren, ga ik met hem mee. Op straat betaal ik zijn taxi en ik herinner hem aan zijn afspraken, zoals ik ook zijn vrouw bel als hij niet thuiskomt.

Meteen al in het begin, alweer lang geleden, gebeurde er wat er normaal gebeurt tussen een man en een vrouw die vaak in elkaars gezelschap zijn. Het had niets te betekenen voor hem. Hij deed het ook met de verpleegsters en een hoop andere vrouwen.'

'Had het voor u ook niets te betekenen?'

'Helemaal niets.'

En ze keek hem recht in de ogen als om hem uit te dagen haar tegen te spreken.

'Bent u nooit verliefd geweest?'

'Op wie?'

'Op een of andere man. Op de professor.'

'Niet in de zin die u aan dat woord geeft.'

'Maar u hebt wel uw hele leven aan hem gewijd.'

'Ja.'

'Heeft hij u gekozen als zijn assistente toen u uw artsexamen had gehaald?'

'Het was mijn eigen initiatief. Ik had het al in mijn hoofd gezet vanaf het eerste college dat ik bij hem liep.'

'U zei dat er in het begin het een en ander was voorgevallen tussen u. Moet ik concluderen dat het voorbij is?

'U bent een fantastische biechtvader, meneer Maigret. Het komt nog steeds wel voor.'

'Bij u thuis?'

'Hij is hier nog nooit over de vloer geweest. Ik zie hem nog niet zo vlug vier trappen opklimmen en dit flatje binnenkomen.'

'In het ziekenhuis?'

'Soms. Ook wel eens in zijn appartement. U vergeet dat ik zijn secretaresse ben en wij vaak een deel van de dag doorbrengen in de avenue Carnot.'

'Kent u zijn vrouw goed?'

'We zien elkaar bijna elke dag.'

'Hoe is uw onderlinge verstandhouding?'

Hij kreeg de indruk dat de blik van Lucile Decaux harder werd.

'Koeltjes,' zei ze toen.

'Van weerskanten?'

'Wat probeert u mij in de mond te leggen?'

'De waarheid.'

'Laten we zeggen dat mevrouw Gouin me net zo behandelt als haar personeel. Ze moet natuurlijk altijd waarmaken dat ze de vrouw van de professor is. Hebt u haar ontmoet?'

Ook deze keer antwoordde hij liever niet.

'Waarom is uw baas met haar getrouwd?'

'Om niet alleen te zijn, neem ik aan.'

'Dat was voordat u zijn assistente werd, nietwaar?'

'Jaren eerder.'

'Kan hij goed met haar opschieten?'

'Het is niet een man die met iedereen ruzie zoekt en hij kan mensen geweldig goed negeren.'

'Negeert hij zijn vrouw dan?'

'Hij eet regelmatig met haar.'

'Is dat alles?'

'Voor zover ik weet wel.'

'Waarom is ze met hem getrouwd, denkt u?'

'U moet niet vergeten dat ze toen nog maar een heel gewoon verpleegstertje was. De professor gaat door voor een rijk man.'

'Is hij dat ook?'

'Hij verdient veel geld, maar hij geeft er niets om.'

'Het is dus een gefortuneerd man?'

Ze knikte ja, sloeg haar benen van elkaar en vergat niet haar peignoir zorgvuldig omlaag te trekken.

'Volgens u is hij dus niet erg gelukkig getrouwd?'

'Zo kun je dat niet formuleren. Zijn vrouw zou hem nooit ongelukkig kunnen maken.'

'En Lulu?'

'Lulu ook niet, dat weet ik wel heel zeker.'

'Als hij niet verliefd op haar was, hoe verklaart u dan dat hij ruim twee jaar...'

'Dat kan ik u niet uitleggen, dat moet u zelf maar uitvinden.'

'Iemand zei mij dat hij gek op haar was.'

'Wie?'

'Is dat niet zo?'

'Het is waar en het is niet waar. Ze was zijn persoonlijk eigendom geworden.'

'Maar hij zou niet zijn gaan scheiden om met haar te trouwen?'

Ze keek hem verbaasd aan en protesteerde: 'Nooit van zijn leven! Het hele gedoe van een scheiding had hij er niet voor over.'

'Zelfs niet om met u te trouwen?'

'Dat is nooit bij hem opgekomen.'

'En bij u?'

Ze kreeg een kleur.

'Bij mij ook niet. Wat zou ik ermee zijn opgeschoten? Ik zou er juist op achteruit zijn gegaan. Ik was toch het beste af en nog steeds. Hij doet haast niets zonder mij. Ik help hem bij zijn werk. Ik lees alles wat hij publiceert en vaak doe ik het onderzoek ervoor. Hij neemt geen taxi in Parijs of ik zit naast hem.'

'Is hij bang plotseling dood te gaan?'

'Waarom vraagt u dat?'

Ze leek verrast dat de commissaris dit doorhad.

'Dat is inderdaad zo. De laatste jaren, ongeveer vanaf

het moment dat hij ontdekte dat er iets met zijn hart was. In die tijd heeft hij diverse collega's geraadpleegd. U weet het misschien niet, maar de meeste artsen hebben meer angst voor allerlei ziektes dan hun patiënten.'

'Dat is me bekend.'

'Hij heeft er nooit iets over losgelaten maar langzaam aan heeft hij zich aangewend nooit alleen te zijn.'

'Als hij bijvoorbeeld in een taxi een aanval krijgt, wat kunt u dan voor hem doen?'

'Praktisch niets. Maar ik begrijp het.'

'Dus de gedachte in zijn eentje dood te gaan maakt hem panisch?'

'Wat was eigenlijk precies de reden van uw bezoek, commissaris?'

'Misschien om uw baas niet nodeloos lastig te hoeven vallen. Zijn maîtresse is maandagavond vermoord.'

'Ik houd niet van dat woord. Het is onjuist.'

'Ik gebruik het meer in algemene betekenis. Gouin heeft feitelijk de gelegenheid gehad de misdaad te plegen. Zoals u zoëven hebt toegegeven, was hij tussen kwart voor negen en elf uur alleen op de vierde etage van het ziekenhuis. Hij kan heel goed naar beneden zijn gegaan en zich naar de avenue Carnot hebben laten brengen.'

'Om te beginnen, als u hem kende kwam het niet bij u op dat hij iemand zou kunnen vermoorden.'

'Zeker wel!' antwoordde hij.

En dat klonk zo beslist dat ze hem stomverbaasd aankeek en vergat te protesteren.

'Wat bedoelt u?'

'U zult moeten toegeven dat zijn werk, zijn carrière, zijn wetenschappelijk onderzoek, zijn medische en professorale activiteiten, hoe het ook allemaal mag heten, het enige is dat in zijn ogen iets voorstelt.'

'In zekere zin.'

'In veel ruimere zin dan ik ooit bij iemand ben tegengekomen. Iemand karakteriseerde hem als een "natuurkracht".'

Ditmaal vroeg ze niet wie.

'Natuurkrachten bekommeren zich niet over de schade die ze aanrichten. Als Lulu om de een of andere reden een bedreiging was geworden voor zijn activiteiten...'

'Hoe had ze de activiteiten van de professor kunnen bedreigen?'

'Weet u dat ze zwanger was?'

'Verandert dat iets aan de situatie?'

Verbaasd leek ze niet.

'Wist u het?'

'De professor heeft er iets over gezegd.'

'Wanneer?'

'Afgelopen zaterdag.'

'Weet u zeker dat het zaterdag was?'

'Absoluut. We kwamen met de taxi uit het ziekenhuis. Hij zei me heel terloops, zoals hij vaker doet, alsof hij in zichzelf zat te praten: "Ik geloof dat Louise zwanger is."'

'Was er iets aan hem te zien?'

'Niets. Het gewone ironische trekje. Weet u, veel dingen die voor mensen heel belangrijk zijn, zijn dat voor hem helemaal niet.'

'Het verbaast me dat hij er zaterdag met u over gesproken heeft, terwijl Lulu pas maandagavond tegen zessen het nieuws hoorde.'

'U vergeet dat hij arts is en met haar naar bed ging.'

'Denkt u dat hij het er ook met zijn vrouw over gehad heeft?'

'Dat is onwaarschijnlijk.'

'Stel dat Louise het in haar hoofd gezet had op een huwelijk aan te sturen.'

'Ik denk niet dat die gedachte bij haar is opgekomen. En zelfs als dat zo was, had hij haar nog niet vermoord. U zit er mooi naast, meneer de commissaris. Al zeg ik ook niet dat u de ware dader hebt laten lopen, want ik zou ook niet weten waarom die Pierrot dat meisje zou hebben vermoord.'

'Uit liefde, als ze gedreigd had het uit te maken.'

Ze haalde haar schouders op.

'Dat is wel erg ver gezocht.'

'Hebt u geen idee?'

'Ik hou me er liever buiten.'

Hij stond op om zijn pijp uit te gaan kloppen in de open haard en automatisch, alsof hij thuis was, pakte hij de tang om de blokken goed te leggen.

'Denkt u aan zijn vrouw?' vroeg hij onverschillig, met de rug naar haar toe.

'Ik denk aan niemand.'

'U hebt een hekel aan haar?'

Hoe zou ze niet een hekel aan haar kunnen hebben. Germaine Gouin was een eenvoudig verpleegstertje, een vissersdochter, die van de ene op de andere dag de wettige vrouw van de professor was geworden, terwijl zij, Lucile Decaux, die haar hele leven aan hem gewijd had en in staat was hem te helpen bij zijn werk, gewoon maar zijn assistente was. Elke avond als ze uit het ziekenhuis kwamen stapte ze met hem uit de taxi, maar alleen om bij de deur afscheid van hem te nemen en naar haar eigen huis te gaan in de rue des Acacias, terwijl hijzelf naar zijn vrouw toe ging.

'Verdenkt u haar, juffrouw Decaux?'

'Dat heb ik nooit gezegd.'

'Maar u denkt het wel?'

'Ik denk dat u wel heel voortvarend het doen en laten van mijn chef nagaat op die maandagavond, maar dat u zich om haar doen en laten niet erg druk maakt.'

'Wat weet u daarvan?'

'Hebt u dan al met haar gesproken?'

'Ik ben er in ieder geval op een of andere manier achter gekomen dat ze de hele avond met haar zus heeft doorgebracht. Kent u Antoinette?'

'Niet persoonlijk. De professor heeft mij wel eens iets over haar verteld.'

'Heeft hij iets tegen haar?'

'Zij meer tegen hem. Hij heeft me wel eens gezegd dat hij er altijd op verdacht is dat ze hem in zijn gezicht gaat spuwen als ze elkaar toevallig eens tegen het lijf lopen.'

'Meer weet u niet over mevrouw Gouin?'

'Niets!' klonk het bits.

'Heeft ze geen minnaar?'

'Voor zover ik weet niet. Dat gaat me trouwens ook niets aan.'

'Is het zo'n vrouw die haar man ervoor op zou laten draaien als ze zelf schuldig was?'

Toen ze zweeg kon Maigret een glimlach niet onderdrukken.

'Geef maar toe dat u er niet rouwig om zou zijn als wij erachter kwamen dat zij Lulu vermoord had.'

'Ik weet maar één ding zeker en dat is dat de professor haar niet vermoord heeft.'

'Heeft hij het met u gehad over de moord?'

'Niet op dinsdagmorgen. Hij wist het toen zelf nog niet. 's Middags vertelde hij me terloops dat de politie nog wel zou bellen voor een afspraak.'

'En sindsdien?'

'Hij is er niet meer op teruggekomen.'

'Was de dood van Louise geen schok voor hem?'

'Misschien was hij verdrietig, maar hij heeft er niets van laten merken. Hij bleef gewoon zichzelf.'

'Ik veronderstel dat u me verder niets meer te vertellen heeft? Heeft hij het met u wel eens gehad over die muzikant Pierrot?'

'Nooit.'

'U hebt nooit gedacht dat hij jaloers op hem was?'

'Het is geen man om op wie dan ook jaloers te zijn.'

'Bedankt, jongedame, en mijn excuses dat u pas zo laat kunt eten. Als u nog een interessant detail te binnen schiet, bel me dan even.'

'Gaat u niet naar mijn baas?'

'Dat weet ik nog niet. Is hij thuis vanavond?'

'Het is zijn enige vrije avond van de week.'

'Wat doet hij daarmee?'

'Werken, zoals gewoonlijk. Hij moet de drukproeven van zijn boek corrigeren.'

Maigret trok met een zucht zijn overjas aan.

'U bent een merkwaardige jongedame,' mompelde hij meer in zichzelf.

'Zo bijzonder ben ik niet.'

'Goedenavond.'

'Goedenavond, meneer Maigret.'

Ze ging met hem mee naar de overloop en keek hem na toen hij naar beneden liep. Buiten zag hij de zwarte auto en de chauffeur maakte het portier voor hem open.

Bijna had hij hem het adres aan de avenue Carnot opgegeven. Vroeg of laat moest het toch tot een gesprek komen met Gouin. Waarom stelde hij het steeds maar uit? Het leek wel of hij in een wijde cirkel om hem heen draaide zonder hem te durven benaderen, alsof de persoonlijkheid van de professor hem imponeerde.

'Naar de Quai!'

Om deze tijd zou Etienne Gouin met zijn vrouw aan het dineren zijn. In het voorbijgaan zag Maigret dat er geen licht aan was in het rechterstuk van het appartement.

De assistente vergiste zich minstens op één punt. In tegenstelling tot wat ze beweerd had, was de relatie tussen meneer en mevrouw Gouin minder kleurloos dan ze dacht. Lucile Decaux beweerde dat haar baas nooit met zijn vrouw over zijn affaires sprak. Maar mevrouw Gouin had de commissaris kleine details verteld die ze alleen maar kon hebben van haar man.

Had hij haar ook verteld dat Lulu zwanger was?

Hij liet de auto iets verderop in de avenue stoppen voor de bistro waar hij al eerder was neergestreken om een grog te drinken. Er zat die avond minder kou in de lucht en hij bestelde iets anders, een marc, hoewel het eigenlijk te vroeg was voor een sterke borrel, maar meer omdat hij de vorige dag hetzelfde had gedronken. Ze plaagden hem wel eens op de Quai des Orfèvres met die gewoonte. Als hij een onderzoek begon met calvados bijvoorbeeld, dan ging hij ook door met calvados, zodat er bieronderzoeken, rode wijnonderzoeken en zelfs whiskyonderzoeken waren.

Hij stond op het punt naar het bureau te bellen om te vragen of er nog nieuws was en zich dan rechtstreeks naar huis te laten brengen. Maar het simpele feit dat er al iemand was in de telefooncel bracht hem op andere gedachten.

Onderweg zei hij geen woord.

'Hebt u mij nog nodig?' vroeg de chauffeur toen ze waren aangekomen op de binnenplaats van het politiebureau.

'Je kunt me over een paar minuten naar huis brengen. Tenzij je dienst er al op zit.'

'Ik ben pas om acht uur klaar.'

Hij ging naar boven en deed het licht aan op zijn kamer. Meteen ging de tweede deur open en kwam Lucas te voorschijn.

'Inspecteur Janin heeft gebeld. Hij heeft er de pest over in dat niemand hem heeft verteld dat Pierrot weer boven water is.'

Iedereen was Janin vergeten die heel La Chapelle was blijven uitkammen tot hij in de krant had moeten lezen dat de muzikant door Maigret was verhoord en weer was vrijgelaten.

'Hij vraagt of hij hem nog in de gaten moet houden.'

'Heeft geen zin meer. Nog iets anders?'

Lucas wilde net iets zeggen toen de telefoon ging. Maigret nam op.

'Commissaris Maigret,' zei hij met gefronste wenkbrauwen.

En meteen begreep Lucas dat het belangrijk was.

'U spreekt met Etienne Gouin,' klonk het aan de andere kant van de lijn.

'Ik luister.'

'Ik hoor dat u zojuist mijn assistente heeft ondervraagd.'

Lucile Decaux had haar chef gebeld om hem op de hoogte te stellen.

'Dat klopt,' zei Maigret.

'Als u zo graag iets over mij weten wilt, had ik het correcter gevonden als u zich rechtstreeks tot mij had gewend.'

Lucas had de indruk dat Maigret even van zijn apropos was en probeerde zijn kalmte te herwinnen.

'Dat is een opvatting,' antwoordde hij kortaf.

'U weet waar ik woon.'

'Uitstekend. Ik kom bij u.'

Het was even stil aan de andere kant van de lijn. De commissaris hoorde vaag een vrouwenstem. Waarschijnlijk zei mevrouw Gouin iets tegen haar man, die toen vroeg: 'Wanneer?'

'Over een uur, anderhalf uur. Ik heb nog niet gegeten.'

'Ik verwacht u.'

Hij hing op.

'De professor?' vroeg Lucas.

Maigret knikte.

'Wat wil hij?'

'Hij wil graag verhoord worden. Ben je vrij?'

'Om met u mee te gaan?'

'Ja. Maar eerst gaan we een hapje eten.'

Dat deden ze op de place Dauphine aan de tafel waar de commissaris al zo vaak geluncht en gedineerd had dat ze hem 'de tafel van Maigret' waren gaan noemen.

Gedurende de gehele maaltijd zei hij geen stom woord.

# *Hoofdstuk 8*

Maigret had duizenden, tienduizenden mensen verhoord in de loop van zijn carrière, mensen die hoge posten bekleedden, anderen die meer beroemd waren om hun rijkdom en nog weer anderen die doorgingen voor de meest intelligente individuen onder de internationale misdadigers.

Toch was dit verhoor in zijn ogen belangrijker dan al die eerdere verhoren en dat kwam niet alleen omdat hij onder de indruk was van de sociale positie van Gouin of de faam die hij genoot over de hele wereld.

Het ontging hem niet dat Lucas zich al vanaf het begin van de zaak afvroeg waarom hij de professor niet op de man af een paar heel concrete vragen ging stellen en nu wist de brave Lucas zich weer geen raad met het slechte humeur van zijn chef.

Wat het precies was kon Maigret hem niet zeggen, niemand trouwens, zelfs zijn vrouw niet. Eigenlijk durfde hij het zelf niet goed onder woorden te brengen.

Wat hij wist van Gouin, wat hij over hem gehoord had, maakte inderdaad enige indruk op hem. Maar om een reden die waarschijnlijk niemand zou raden.

Net als de professor was Maigret geboren in een dorpje in midden Frankrijk en ook hij was al vroeg op zichzelf aangewezen geweest. Was Maigret zelf niet begonnen aan een medicijnenstudie? Als hij die had kunnen afmaken was hij waarschijnlijk geen chirurg geworden omdat hij daar niet de handigheid voor had, maar toch voelde hij dat er tussen hem en de minnaar van Lulu veel gemeenschappelijks was.

Dat was pretentieus van hem en daarom dacht hij er maar liever niet aan. Ze hadden allebei, dacht hij zo, evenveel mensenkennis en levenservaring. Ze keken natuurlijk anders tegen de dingen aan, waren eerder elkaars tegenpool, maar wel gelijkwaardig.

Wat hij wist van Gouin had hij gehoord via de uitlatingen en reacties van vijf verschillende vrouwen. Voor de rest had hij niet meer van hem gezien dan zijn silhouet op het trottoir van de avenue Carnot en een foto boven de haard. En het meest onthullende voorval was zonder twijfel het korte verslag dat Janvier hem telefonisch had gedaan van de verschijning van de professor in het appartement van Louise Filon.

Hij zou er snel achter komen of hij het verkeerd had. Hij had zich zo goed mogelijk voorbereid en dat hij Lucas meenam was niet omdat hij zijn hulp nodig had, maar om het gesprek een meer officieel karakter te geven, eigenlijk misschien om zich goed in te prenten dat hij naar de avenue Carnot ging als commissaris van politie en niet als iemand die uit nieuwsgierigheid komt.

Bij het eten had hij wijn gedronken. Toen de ober hem was komen vragen of hij nog een afzakkertje wilde, had hij een oude marc uit de Bourgogne besteld, zodat hij van binnen al aangenaam warm begon te worden.

De avenue Carnot was verlaten en vredig, met zacht licht achter de gordijnen van de appartementen. Toen hij langs de loge liep had hij de indruk dat de conciërge hem verwijtend nakeek.

De twee mannen namen de lift en het huis rondom hen was stil, afgesloten van de buitenwereld en verschanst in zijn eigen geheimen.

Het was tien over halfnegen toen Maigret aan de blinkend gepoetste koperen knop trok die een elektrische bel deed overgaan. Hij hoorde binnen voetstappen en een jeugdig, niet onknap kamermeisje dat over haar zwarte tenue een koket schortje droeg maakte open en zei: 'Als de heren hun jassen willen uitdoen...'

Hij had zich afgevraagd of Gouin hen in de salon zou ontvangen, het meer huiselijke gedeelte van de woning. Het werd hem niet meteen duidelijk. Het meisje hing de kleren in een kast, liet de bezoekers achter in de vestibule en verdween.

Ze kwam niet terug, maar al vlug kwam Gouin zelf op hen af en hij leek hier nog groter en magerder. Hij keurde hen nauwelijks een blik waardig en mompelde alleen: 'Wilt u mij volgen...'

Hij ging hen voor door een gang die naar een bibliotheek leidde. De muren waren vrijwel geheel bedekt met gebonden boekwerken. Er scheen een gedempt licht en houtblokken brandden in een haard die aanzienlijk groter was dan bij Lucile Decaux.

'Neemt u plaats.'

Hij wees hun fauteuils aan en nam er zelf ook een. Dit alles was nog maar voorspel. Ze hadden elkaar nog niet eens aangekeken. Lucas, die zich geheel overbodig voelde, was des te meer verlegen met de situatie omdat de fauteuil te diep was voor zijn korte beentjes en hij het dichtst bij het vuur zat.

'Ik had verwacht dat u alleen zou komen.'

Maigret stelde zijn medewerker voor.

'Ik heb brigadier Lucas meegebracht om wat aantekeningen te maken.'

Pas op dat moment kruisten hun blikken elkaar voor het eerst en Maigret las een stil verwijt in de ogen van de professor. Misschien ook, al was hij daar niet zo zeker van, iets van teleurstelling. Het was moeilijk te zeggen omdat Gouin op het eerste gezicht nogal gewoontjes was. In de opera zie je wel eens zangers die er zo uitzien, vooral onder de baszangers, met hetzelfde grote, knokige lichaam en een gezicht waarin de trekken zwaar aangezet zijn en de ogen diepe wallen vertonen.

De oogappels waren licht, klein, zonder opvallende glans, en toch had zijn blik een ongewoon krachtige uitstraling.

Maigret zou gezworen hebben toen die blik zich op hem vestigde, dat Gouin even nieuwsgierig naar hem was als hij naar de professor.

Vond die hem ook gewoner dan wat hij zich van hem had voorgesteld?

Lucas had uit zijn zak een notitieblokje en een potlood gehaald en gaf zich zo een houding.

Het was onvoorspelbaar hoe het gesprek zou verlopen. Maigret hulde zich in een behoedzame stilte en wachtte af.

'Denkt u niet, meneer Maigret, dat het verstandiger was geweest als u zich rechtstreeks tot mij had gewend in plaats van dat arme kind eerst lastig te vallen?'

Hij zei het heel gewoon, met vlakke stem alsof hij zo maar een praatje begon.

'U hebt het over juffrouw Decaux? Ik had niet de indruk dat ze zich slecht op haar gemak voelde. Ik mag aannemen dat ze u telefonisch op de hoogte heeft gebracht zodra ik vertrokken was?'

‘Ze heeft me uw vragen en haar antwoorden doorverteld. Ze beeldde zich in dat het belangrijk was. Vrouwen hebben voortdurend de behoefte zich te overtuigen van hun onmisbaarheid.’

‘Lucile Decaux is toch uw naaste medewerkster?’

‘Ze is mijn assistente.’

‘Is ze ook niet uw secretaresse?’

‘Dat is juist. En ze zal u er ook wel bij verteld hebben dat ze altijd en overal in mijn nabijheid is. Dat geeft haar het gevoel dat ze een hoofdrol speelt in mijn leven.’

‘Is ze verliefd op u?’

‘Zoals ze het op elke andere baas zou zijn, als hij maar beroemd is.’

‘Ik had de indruk dat haar toewijding zó ver ging dat ze er zelfs een meineed voor over zou hebben om u uit de problemen te helpen.’

‘Ze zou het zonder enige aarzeling doen. Mijn vrouw heeft ook al contact met u gehad.’

‘Heeft ze u dat verteld?’

‘Ze heeft me net zoals Lucile de kleinste bijzonderheden van uw gesprek doorverteld.’

Hij had het over zijn vrouw op dezelfde luchtige toon die hij voor zijn assistente had gebruikt. Er was niet de minste warmte in zijn stem. Hij constateerde feiten, maakte er melding van, maar ze hadden voor hem geen enkele gevoelswaarde.

Eenvoudige mensen die met hem in aanraking kwamen zouden opgetogen zijn over zijn eenvoud. Zijn optreden had inderdaad niets gemaakts, het was hem volmaakt onverschillig hoe hij overkwam op de buitenwereld. Je ontmoet maar weinig mensen die niet een rol spelen, zelfs als ze alleen zijn. De meeste mensen hebben de behoefte zichzelf te zien leven en te horen praten. Gouin niet. Hij was volkomen zichzelf en deed geen enkele moeite zijn gevoelens te verbergen.

Toen hij het over Lucile Decaux had gehad, sprak uit zijn woorden en houding: 'Wat zij toewijding noemt is alleen maar een soort ijdelheid, een behoefte zich uitzonderlijk te vinden. De eerste de beste van mijn studentes zou net zo doen als zij. Ze maakt haar leven interessant en natuurlijk beeldt ze zich in dat ik haar dankbaar moet zijn.'

Dat hij het niet met even zo veel woorden zei, kwam omdat hij Maigret in staat achtte het te begrijpen, met hem sprak op voet van gelijkheid.

'Ik heb u nog niet verteld waarom ik u vanavond telefonisch verzocht heb hier te komen. Ik had u trouwens in ieder geval graag willen ontmoeten.'

Hij gedroeg zich als een echte kerel en hij was oprecht. Sinds ze tegenover elkaar zaten had hij de commissaris voortdurend geobserveerd, alsof hij hem ongegeneerd bestudeerde als een exemplaar van het menselijk ras waar hij graag meer over wilde weten.

'Toen mijn vrouw en ik zaten te dineren werd ik gebeld. Het was iemand die u al kent, ene mevrouw Brault die bij Louise kwam poetsen.'

Hij zei niet Lulu, maar Louise, sprak even gewoon over haar als over de andere vrouwen, in het besef dat nadere verklaringen overbodig waren.

'Mevrouw Brault heeft het in haar hoofd gehaald dat ze een middel in handen heeft om mij te chanteren. Ze viel maar meteen met de deur in huis, al begreep ik haar eerste zin niet onmiddellijk. Ze zei me: "Ik heb de revolver, meneer Gouin." Over welke revolver heeft ze het, was mijn eerste gedachte.'

'Mag ik u iets vragen?'

'Gaat uw gang.'

'Hebt u mevrouw Brault ooit ontmoet?'

'Ik geloof het niet. Louise heeft het wel eens over haar gehad. Ze kende haar al voordat ze hier kwam wonen. Het schijnt een merkwaardig schepsel te zijn dat al vaak in de gevangenis heeft gezeten. Omdat ze alleen 's morgens werkte in het appartement en ik om die tijd nauwelijks de gelegenheid had naar haar toe te gaan, heb ik haar voor zover ik mij herinner nooit gezien. Misschien ben ik haar wel eens op de trap tegengekomen.'

'Gaat u verder met uw verhaal.'

'Ze vertelde me dus dat ze, toen ze maandagochtend de salon in kwam, de revolver op tafel had zien liggen en...'

'Zei ze letterlijk "op tafel"?'

'Ja. Ze vertelde ook nog dat ze hem verstopt had in een sierpot op de overloop waar een groene plant in staat. Uw mannen hebben waarschijnlijk wel het hele appartement doorzocht maar niet veel verder gekeken.'

'Niet dom van haar.'

'Kortom, ze zou de revolver nu in haar bezit hebben en was bereid mij die tegen een hoog bedrag terug te geven.'

'Aan u teruggeven?'

'Hij is van mij.'

'Hoe weet u dat?'

'Ze heeft er een beschrijving van gegeven, inclusief het serienummer.'

'Hebt u dat wapen al lang in uw bezit?'

'Een jaar of negen. Ik was in België voor een operatie. In die tijd reisde ik meer dan nu. Er kwamen soms zelfs verzoeken uit de Verenigde Staten en India. Mijn vrouw had me al vaak gezegd dat ze bang was als ze een paar dagen, soms zelfs weken, alleen moest zijn in het appartement. In het hotel in Luik waar ik mijn intrek had genomen, lagen in een vitrine wapens uitgestald die in de streek gemaakt worden. Ik kwam op het idee een klein automatisch wapen te kopen. Ik moet erbij zeggen dat ik het niet bij de douane aangegeven heb.'

Maigret glimlachte.

'In welke kamer lag het?'

'In een la van mijn bureau. Daar heb ik het een paar maanden geleden nog voor het laatst gezien. Ik heb het nooit gebruikt. Ik was het totaal vergeten totdat ik dat telefoontje kreeg.'

'Wat hebt u mevrouw Brault geantwoord?'

'Dat ze nog van mij zou horen.'

'Wanneer?'

'Waarschijnlijk vanavond. Toen heb ik u gebeld.'

'Wil je er even naar toe gaan, Lucas? Heb je het adres?'

'Ja, chef.'

Lucas was opgetogen aan de loodzware atmosfeer in het vertrek te kunnen ontsnappen, want terwijl de twee mannen op gedempte toon aan het praten waren en op het eerste gehoor alleen banale zinnen uitwisselden, was er een ingehouden spanning voelbaar.

'U vindt uw jas wel? Of zal ik het meisje even bellen?'

'Ik vind het wel.'

Toen de deur weer dicht was bleven ze even zwijgen. Maigret verbrak de stilte.

'Weet uw vrouw ervan?'

'Van de chantage van mevrouw Brault?'

'Ja.'

'Ze heeft gehoord wat ik antwoordde, want ik telefoneerde in de eetkamer. De rest heb ik haar uitgelegd.'

'Hoe reageerde ze?'

'Ze raadde mij aan toe te geven.'

'U hebt zich niet afgevraagd waarom?'

'Weet u, meneer Maigret, of het nu mijn vrouw is, Lucile Decaux of wie dan ook, ze zijn allemaal geweldig in hun sas met de gedachte dat ze me zo toegewijd zijn. Het is bijna een competitie wie me het meest mag bemoederen.'

Hij zei het zonder ironie en ook zonder wrok, hij ontleedde hun gevoelens met dezelfde distantie waarmee hij een lijk zou hebben ontleed.

'Waarom denkt u dat mijn vrouw u zo nodig wilde spreken? Om de rol te spelen van de echtgenote die waakt over de rust en het werk van haar man.'

'Is dat dan niet zo?'

Hij keek Maigret aan en gaf geen antwoord.

'Ik had de indruk, professor, dat uw vrouw voor u enorm veel begrip kon opbrengen.'

'Ze beweert inderdaad dat ze niet jaloers is.'

'Is dat alleen een kwestie van beweren?'

'Het hangt ervan af wat u onder het woord jaloers verstaat. Het laat haar vermoedelijk koud dat ik met iedere vrouw naar bed ga.'

'Zelfs als het Louise Filon is?'

'In het begin zeker. U moet niet vergeten dat Germaine van een onbeduidend verpleegstertje van de ene op de andere dag mevrouw Gouin werd.'

'Hield u van haar?'

'Nee.'

'Waarom bent u dan met haar getrouwd?'

'Om iemand in huis te hebben. De oude vrouw die voor mij zorgde zou het niet zo lang meer maken. Ik ben niet graag alleen, meneer Maigret. Ik weet niet of u dat gevoel kent?'

'Misschien hebt u ook liever mensen om u heen die alles aan u te danken hebben?'

Hij protesteerde niet. De opmerking scheen hem zelfs plezier te doen.

'In zekere zin wel.'

'Hebt u daarom een meisje uitgezocht van eenvoudige komaf?'

'Andere meisjes werken op mijn zenuwen.'

'Wist ze wat ze te verwachten had toen ze met u trouwde?'

'Heel precies.'

'Wanneer begon ze te mokken?'

'Ze is nooit gaan mokken. U hebt haar gezien. Ze is volmaakt, een perfecte huisvrouw, en ze zeurt nooit om 's avonds nog uit te gaan of vrienden te eten te vragen.'

'Als ik het goed begrijp zit ze de hele dag geduldig te wachten tot u weer thuis bent.'

'Zoiets. Maar dan ben je ook mevrouw Gouin en op een goede dag zelfs de weduwe Gouin.'

'Doet ze het om het geld?'

'Laten we zeggen dat ze er niet rouwig om zal zijn als ze mijn hele fortuin zal erven. Momenteel zou ik er een fortuin om verwedden dat ze achter de deur staat te luisteren. Ze was nogal ontsteld toen ik u belde. Ze had liever gehad dat ik u in de salon ontving met haar erbij.'

Hij was niet zachter gaan spreken toen hij zei dat Germaine achter de deur stond te luisteren en Maigret zou gezworen hebben dat hij in de kamer ernaast een licht geritsel hoorde.

'Volgens uw vrouw kwam het idee om Louise Filon hier in huis te halen van haar.'

'Dat klopt. Ik zou er niet op zijn gekomen. Ik wist zelfs niet dat er een appartement leegstond.'

'Vond u het geen merkwaardig plan?'

'Waarom?'

De vraag verbaasde hem.

'Hield u van Louise?'

'Luister eens, meneer Maigret: dit is nu al de tweede keer dat u dat woord gebruikt. In de geneeskunde kennen we het niet.'

'Had u haar nodig?'

'Lichamelijk wel. Moet ik me nader verklaren? Ik ben tweeënzestig.'

'Dat weet ik.'

'Meer hoef ik niet te zeggen.'

'Was u niet jaloers op Pierrot?'

'Ik had liever gehad dat hij er niet was.'

Zoals bij Lucile Decaux stond Maigret op om een houtblok dat weg was geschoven goed te leggen. Hij had dorst. Het kwam niet bij de professor op om hem iets aan te bieden. Van de marc die hij na het eten had gedronken, had hij een droge mond gekregen en hij had stevig doorgerookt.

'Hebt u hem ooit ontmoet?' vroeg hij.

'Wie?'

'Pierrot.'

'Eén keer. Meestal regelden die twee het zo dat het niet gebeurde.'

'Wat voelde Lulu voor u?'

'Wat had ze moeten voelen? Ik neem aan dat u haar voorgeschiedenis kent. Natuurlijk had ze het over dankbaarheid en liefde. De waarheid is eenvoudiger. Ze had geen zin om opnieuw armoede te lijden. Dat moet u bekend in de oren klinken. Mensen die echt honger hebben geleden, die straatarm zijn geweest en er op een of andere manier bovenop zijn gekomen, zijn tot alles in staat om niet weer terug te vallen in hun oude leventje.'

Dat was waar, Maigret kon erover meepraten.

'Hield ze van Pierrot?'

'Als u zo gehecht bent aan dat woord!' verzuchtte de professor berustend. 'In haar leven moest toch ook plaats zijn voor sentimentaliteit. En ze moest zich toch ook in de nesten kunnen werken. Ik zei zoëven al dat vrouwen een onweerstaanbare behoefte hebben om zich onmisbaar te voelen. Daarom maken ze het zich altijd zo moeilijk, zijn ze altijd aan het twijfelen of verbeelden ze zich dat er keuzes gemaakt moeten worden.'

'Waartussen?' vroeg Maigret met een flauwe glimlach om zijn gesprekspartner te dwingen zich nader te verklaren.

'Louise verbeeldde zich dat ze kon kiezen tussen haar muzikant en mij.'

'En dat was niet zo?'

'Niet echt. Ik heb u gezegd waarom.'

'Heeft ze u nooit gedreigd bij u weg te gaan?'

'Ze deed wel eens alsof ze aarzelde.'

'Was u niet bang dat het er ook echt van kwam?'

'Nee.'

'Ze was ook niet op een huwelijk uit?'

'Dat wilde ze nu ook weer niet. Ik weet bijna zeker dat ze het een angstig idee had gevonden om mevrouw Gouin te worden. Wat ze nodig had was zekerheid. Een lekker warm huis, drie maaltijden per dag en fatsoenlijke kleren.'

‘Wat zou er gebeurd zijn als u was komen te overlijden?’

‘Ik had voor haar een levensverzekering afgesloten.’

‘Hebt u er ook een afgesloten voor Lucile Decaux?’

‘Nee. Dat heeft geen nut. Als ik dood ben klampt ze zich vast aan mijn opvolger, net zoals ze zich aan mij heeft vastgeklampt, en er verandert verder niets in haar leven.’

Ze werden gestoord in hun gesprek door de telefoon.

Gouin stond op het punt op te nemen toen hij zich bedacht.

‘Dat zal uw inspecteur zijn.’

Het was inderdaad Lucas, die belde vanuit het politiebureau in de Batignolles, bij Désirée het dichtst in de buurt.

‘Ik heb het wapen, chef. Ze hield eerst stug vol dat ze geen idee had waar ik het over had.’

‘Wat heb je met haar gedaan?’

‘Ze is hier bij me.’

‘Laat haar naar de Quai brengen. Waar heeft ze de revolver gevonden?’

‘Ze beweert nog steeds dat hij op tafel lag.’

‘Hoe kwam ze erbij dat hij van de professor was?’

‘Volgens haar is dat nogal wiedes. Ze geeft verder geen bijzonderheden. Ze is woest, ze probeerde me zelfs te krabben. Wat heeft hij daar te vertellen?’

‘Nog niets definitiefs. We praten nog.’

‘Zal ik weer naar u toekomen?’

‘Ga eerst langs het laboratorium om uit te zoeken of er vingerafdrukken zitten op het wapen. Dan kun je meteen je arrestante afleveren.’

‘Goed, chef,’ zuchtte Lucas zonder veel enthousiasme.

Pas toen kwam Gouin op het idee iets te drinken aan te bieden.

'U drinkt wel een glas cognac?'

'Graag.'

Hij drukte op een elektrisch belletje. Weldra verscheen het kamermeisje dat Maigret en Lucas had binnengelaten.

'Cognac!'

In afwachting daarvan praatten ze niet. Toen ze terugkwam stond er maar één glas op het blad.

'U moet mij verontschuldigen, maar ik drink nooit,' zei de professor, die Maigret zichzelf liet inschenken.

Dat was niet omdat de professor zo volmaakt was of zijn gezondheid in acht nam, maar meer omdat hij er geen behoefte aan had.

# *Hoofdstuk 9*

Maigret nam er de tijd voor. Met het glas in de hand keek hij naar het gezicht van de professor die heel bedaard terugkeek.

'De conciërge heeft ook veel aan u te danken, nietwaar? Als ik mij niet vergis hebt u haar zoon het leven gered.'

'Ik verwacht van niemand enige dankbaarheid.'

'Toch gaat ze voor u door het vuur en ze zou er net als Lucile Decaux een meineed voor over hebben om u uit de narigheid te helpen.'

'Zeker. Het is altijd prettig te denken dat je een held bent.'

'Voelt u zich soms niet eenzaam met uw kijk op de wereld?'

'De mens is eenzaam, wat hij er ook over denkt. Dat moet je gewoon een keer accepteren om er daarna vrede mee te hebben.'

'Ik dacht nu juist dat u zo'n afkeer had van eenzaamheid.'

'Over dat soort eenzaamheid heb ik het niet. Laten we zeggen, als u dat liever heeft, dat ik doodsbang ben voor de leegte. Ik ben niet graag alleen in een appartement, op het trottoir of in een auto. Het gaat om fysieke, niet om morele eenzaamheid.'

'Bent u bang voor de dood?'

'Dood zijn laat me koud. Maar doodgaan, met alles wat daarbij komt kijken, verafschuw ik. In uw beroep bent u er net zo vaak mee geconfronteerd als ik.'

Hij wist maar al te goed dat dit zijn zwakke punt was, dat die angst om alleen dood te gaan de kleine menselijke zwakte was waardoor hij ondanks alles toch weer een heel gewoon iemand werd. Hij schaamde zich er niet voor.

'Sinds mijn laatste hartaanval is er bijna altijd iemand bij me. Medisch gesproken heeft het weinig nut. Maar hoe vreemd het ook mag klinken, als er iemand in de buurt is voel ik me veilig. Ik was een keer alleen in de stad toen ik me opeens niet lekker voelde, het stelde nauwelijks iets voor maar ik liep meteen de eerste de beste bar in.'

Dit was het moment dat Maigret uitkoos om de vraag te stellen die hij al lang achter de hand hield.

'Hoe reageerde u toen u merkte dat Louise zwanger was?'

Hij leek verbaasd, niet omdat het ter sprake werd gebracht maar omdat het beschouwd werd als een mogelijk probleem.

'Helemaal niet,' zei hij eenvoudig.

'Heeft ze het u niet verteld?'

'Nee. Ik vermoed dat ze het nog niet wist.'

'Ze wist het maandagavond tegen een uur of zes. U bent daarna nog bij haar geweest. Zei ze niets?'

'Alleen dat ze zich niet goed voelde en naar bed ging.'

'Dacht u dat het kind van u was?'

'Ik heb er geen moment bij stilgestaan.'

'Hebt u ooit kinderen gehad?'

'Niet dat ik weet.'

'Had u graag kinderen gehad?'

Zijn antwoord choqueerde Maigret, die al dertig jaar dolgraag vader had willen zijn.

'Waarom?' vroeg de professor.

'Inderdaad.'

'Wat bedoelt u?'

'Niets'.

'Sommige mensen die een volkomen doelloos bestaan leiden verbeelden zich dat ze met een kind belangrijk en nuttig worden en dat ze op die manier iets achterlaten. Zo ben ik niet.'

'Denkt u niet dat Lulu, gezien uw leeftijd en die van haar minnaar, gedacht heeft dat het kind van hem was?'

'Wetenschappelijk gezien slaat dat nergens op.'

'Ik heb het nu over wat zij zich in haar hoofd gehaald kan hebben.'

'Het is mogelijk.'

'Was dat niet genoeg om haar te doen besluiten bij u weg te gaan en voor Pierrot te kiezen?'

Hij aarzelde niet.

'Nee,' antwoordde hij, nog steeds als een man die de waarheid in pacht heeft. 'Ze zou me heel zeker bezworen hebben dat het kind van mij was.'

'Zou u het erkend hebben?'

'Waarom niet?'

'Zelfs als u twijfelde of u de vader was?'

'Wat maakt het uit? Een kind is een kind.'

'Zou u met de moeder getrouwd zijn?'

'Ik zie niet in waarom.'

'Zou ze niet geprobeerd hebben u een huwelijk op te dringen?'

'Als ze dat geprobeerd had, zou haar dat niet gelukt zijn.'

'Omdat u uw vrouw niet in de steek wil laten?'

'Heel simpel: omdat ik dat soort complicaties belachelijk vind. Ik zeg het maar ronduit want ik acht u in staat mij te begrijpen.'

'Hebt u er met uw vrouw over gesproken?'

'Zondagmiddag, als ik me goed herinner. Ja, zondag. Ik was een gedeelte van de middag thuis.'

'Waarom bent u erover begonnen?'

'Ik heb het er ook met mijn assistente over gehad.'

'Dat weet ik.'

'Nou en?'

Hij ging er niet ten onrechte van uit dat Maigret het begreep. Er was iets vreselijk hooghartigs en tegelijkertijd tragisch in de manier waarop de professor over de mensen of liever de vrouwen uit zijn omgeving sprak. Hij nam ze zoals ze waren zonder de minste illusie en vroeg niet meer dan wat ze hem konden geven. Ze waren in zijn ogen nauwelijks meer dan levende poppen.

Hij deed ook geen moeite om zijn mond te houden in hun bijzijn. Wat maakte het uit? Hij mocht best hardop denken en hoefde helemaal niet in te zitten over hun reacties, laat staan hun gedachten en gevoelens.

'Wat zei uw vrouw toen?'

'Ze vroeg me wat ik van plan was.'

'Was uw antwoord dat u het kind zou erkennen?'

Hij knikte ja.

'Kwam het niet bij u op dat die mededeling bij haar hard kon aankomen?'

'Misschien.'

Ditmaal verdacht Maigret zijn gesprekspartner van iets dat tot dan toe nog niet aan het licht was gekomen of waar hij hem nog niet op had kunnen betrappen. Er had in de stem van de professor een nauwelijks merkbare voldoening doorgeklonken toen hij zei: "Misschien."

'Deed u het expres?' ging hij ten aanval.

'Dat ik erover begon?'

Maigret was er zeker van dat Gouin liever niet had geglimlacht, liever onverstoorbaar was gebleven, maar het overkwam hem en voor de eerste keer produceerden zijn lippen een vreemde grimas.

'Eigenlijk vond u het wel leuk uw vrouw en uw assistente de stuipen op het lijf te jagen.'

De wijze waarop Gouin er het zwijgen toe deed was al een bekentenis.

'Bracht u ze zo niet allebei op het idee om Louise Filon uit de weg te ruimen?'

'Met dat idee liepen ze waarschijnlijk al veel langer rond. Ze hadden alle twee een hekel aan Louise. Ik ken maar weinig mensen die nooit eens iemand dood hebben gewenst. Alleen zijn er maar weinig mensen die in staat zijn hun gedachten ten uitvoer te brengen. Gelukkig maar voor u!'

Dat was allemaal waar. Het was precies wat dit gesprek iets hallucinerends gaf. Wat de professor van meet af aan gezegd had was precies wat Maigret in zijn hart ook dacht. Hun ideeën over de mensen en hun motieven verschilden niet zoveel van elkaar.

Het verschil zat hem meer in de manier waarop ze tegen de problemen aankeken. Gouin gebruikte alleen maar wat Maigret 'zijn koele verstand' zou hebben genoemd. Maar de commissaris probeerde...

Eigenlijk had hij moeilijk kunnen definiëren wat hij precies probeerde. Misschien kreeg hij door zijn begrip voor de mensen niet alleen een gevoel van medelijden, maar zelfs iets van sympathie jegens hen.

Gouin bekeek de mensen vanuit de hoogte.

Maigret plaatste zich meer op hetzelfde niveau.

'Louise Filon is wel vermoord,' zei hij langzaam.

'Dat staat vast. Iemand is tot het uiterste gegaan.'

'Hebt u zich afgevraagd wie?'

'Dat is uw taak, niet de mijne.'

'Hebt u er ooit bij stilgestaan dat ú het wel eens kon zijn?'

'Zeker. Toen ik nog niet wist dat mijn vrouw met u had gesproken, was ik verbaasd dat u mij niet kwam ondervragen. De conciërge had me gewaarschuwd dat ze mijn naam had laten vallen.'

Zij ook al! En Gouin accepteerde dat als iets vanzelfsprekends!

'U bent maandagavond naar Cochin gegaan, maar u bent hoogstens een half uur aan het bed van uw patiënt gebleven.'

'Ik ben gaan rusten op een kamer op de vierde etage waar ik over kan beschikken.'

'U was daar alleen en u kon gemakkelijk ongezien het ziekenhuis verlaten, met de taxi hiernaar toe komen en bijtijds weer terug op de kamer zijn.'

'Om hoe laat zou dat op- en neerrijden plaats hebben gehad, volgens u?'

'Heel zeker tussen negen en elf uur.'

'Hoe laat was Pierre Eyraud bij Louise?'

'Om kwart voor tien.'

'Dus zou ik Louise daarna vermoord moeten hebben?'

Maigret beaamde het.

'Als we rekening houden met de reistijd kon ik tussen tien uur en halfelf dus niet in het ziekenhuis zijn.'

Maigret rekende zwijgend mee.

De redenering van de professor klonk logisch. En opeens was Maigret duidelijk teleurgesteld. Er verliep iets niet zoals hij had voorzien. Hij wist al wat er komen ging en luisterde nauwelijks meer naar het verdere betoog van de professor.

'Nu wil het geval, meneer Maigret, dat een van mijn collega's, dokter Lanvin, die net een consult had gehad op de derde verdieping, om vijf over tien naar me toe is gekomen. Hij vertrouwde zijn diagnose niet. Hij vroeg me even met hem naar beneden te gaan. Ik ben met hem meegelopen naar de derde verdieping. Noch mijn assistente, noch mijn verdere personeel konden u dat vertellen, want ze wisten er niets van.

Het gaat hier niet om de getuigenis van een vrouw die me maar al te graag uit de problemen wil helpen, maar van een stuk of zes personen, onder wie de patiënt die me nooit eerder gezien heeft en waarschijnlijk niet eens weet hoe ik heet.'

'Ik heb nooit gedacht dat u Lulu vermoord had.'

Hij noemde haar expres bij deze naam, waar de professor zo'n hekel aan leek te hebben. Hij wilde ook wel eens wreed zijn.

'Ik had alleen verwacht dat u de persoon die haar vermoord heeft zou proberen te dekken.'

Gouin leek geraakt. Er verscheen een lichte blos op zijn wangen en even keek hij weg van de commissaris.

Er werd gebeld aan de voordeur. Het was Lucas die door het kamermeisje naar de salon werd gebracht en een pakje in de hand had.

'Geen afdrukken,' zei hij terwijl hij het wapen uitpakte en aan zijn chef gaf.

Hij keek ze allebei aan, verbaasd over de rust die er

heerste, verbaasd ook dat ze nog precies op dezelfde plaats en in dezelfde houding zaten, alsof de tijd hier stil had gestaan toen hij door de stad aan het rennen was.

'Is dit uw revolver, meneer Gouin?'

Het was een buitenmodel wapen met nikkelen loop en parelmoeren kolf en als het schot niet van zo dichtbij was afgevuurd, zou er waarschijnlijk weinig schade zijn aangericht.

'Er ontbreekt een kogel in het magazijn,' lichtte Lucas toe.' 'Ik heb met Gastine-Renette gebeld, die morgen de gebruikelijke proeven zal nemen. Hij is er nu al zeker van dat dit de revolver is waarmee maandag geschoten werd.'

'Ik neem aan, meneer Gouin, dat uw vrouw en ook uw assistente in de la van uw bureau konden komen? Die zat niet op slot?'

'Ik sluit nooit iets af.'

Ook dat had alles te maken met zijn minachting voor mensen. Hij had niets te verbergen. Het maakte hem niets uit of iemand zijn privépapieren las.

'Was u niet verbaasd bij uw thuiskomst maandagavond uw schoonzus aan te treffen?'

'Ze probeert me zo veel mogelijk te ontlopen.'

'Ik geloof dat ze een grondige hekel aan u heeft, nietwaar?'

'Dat is ook een manier om haar leven interessant te maken.'

'Uw vrouw heeft mij verteld dat haar zus toevallig langs was gekomen omdat ze toch in de buurt was.'

'Dat is best mogelijk.'

'Toen ik Antoinette verhoorde vertelde ze mij dat haar zus haar gebeld had met de vraag of ze langs wilde komen.'

Gouin luisterde aandachtig, zonder dat er enige emotie van zijn gezicht viel af te lezen. Hij zat achterover in zijn fauteuil met zijn benen over elkaar geslagen en zijn vingers ineengestrengeld en het viel Maigret op hoe lang die vingers waren, even soepel als van een pianist.

'Ga zitten, Lucas.'

'Zal ik ook een glas vragen voor uw inspecteur?'

Lucas schudde van nee.

'Ik moet nog een andere verklaring van uw vrouw verifiëren en dat kan alleen met uw medewerking.'

De professor gaf aan dat hij wachtte op de vraag.

'Enige tijd geleden heeft u kennelijk een hartaanval gehad toen u in het appartement was van Lulu.'

'Dat klopt. We moeten niet overdrijven, maar het klopt.'

'Is het juist dat uw maîtresse toen in paniek uw vrouw heeft geroepen?'

Gouin leek verrast.

'Van wie hebt u dat?'

'Dat doet er niet toe. Is het de waarheid?'

'Niet helemaal.'

'U beseft dat uw antwoord van kapitaal belang is?'

'Dat concludeer ik uit de manier waarop u het mij vraagt maar ik zou niet weten waarom. Ik voelde me niet goed, die nacht. Ik vroeg toen aan Louise even naar boven te gaan om een flesje met medicijnen uit mijn badkamer te halen. Dat deed ze. Mijn vrouw maakte open want het personeel was al naar bed en ze hebben hun kamers op de zesde etage. Mijn vrouw, die ook al naar bed was toen Louise kwam, is het flesje gaan halen.'

'Zijn ze samen weer naar beneden gegaan?'

'Ja. Alleen was de aanval in die tussentijd alweer voorbij en had ik het appartement op de derde al verlaten. Ik was de deur al uit toen Louise en mijn vrouw alle twee in nachthemd voor mij stonden.'

'Mag ik even?'

Maigret zei fluisterend iets tegen Lucas, die de kamer verliet. Gouin vroeg niets, leek ook niet verbaasd.

'Stond die deur achter u nog wijd open?'

'Hij stond aan.'

Maigret had liever gehad dat hij had gelogen. Al een uur had hij graag gehad dat Gouin probeerde te liegen, maar hij bleef onverbiddelijk eerlijk.

'Weet u dat zeker?'

Hij gaf hem een laatste kans.

'Absoluut.'

'Is uw vrouw voor zover u weet nooit bij Lulu in het appartement op de derde etage op bezoek geweest?'

'U kent haar slecht.'

Had Germaine Gouin niet verklaard dat dit de enige gelegenheid was geweest dat ze het appartement had betreden? Die nacht was ze dus niet binnen geweest. En toen ze naar beneden gekomen was om de commissaris te ontmoeten, had ze niet nieuwsgierig om zich heen gekeken, maar gedaan alsof ze de kamers al kende.

Dat was haar tweede leugen, waarbij nog kwam dat ze niet verteld had dat Lulu zwanger was.

'Denkt u dat ze nog steeds achter de deur staat te luisteren?'

Dat hij Lucas weg had gestuurd om bij de voordeur te gaan staan was een overbodige voorzorg geweest.

'Ik ben er absoluut zeker van...' begon de professor.

En de tussendeur ging inderdaad open. Mevrouw Gouin kwam twee stappen naar voren, precies genoeg om haar man recht in het gezicht te kunnen zien. Nog nooit had Maigret in mensenogen zoveel minachting gelezen. De professor wendde zijn hoofd niet af, doorstond de schok zonder een spier te vertrekken.

De commissaris stond wel op.

'Ik ben verplicht u te arresteren, mevrouw Gouin.'

Ze zei bijna afwezig en nog steeds naar haar man toe gekeerd: 'Ik weet het.'

'Ik veronderstel dat u alles hebt gehoord?'

'Ja.'

'Bekent u dat u Louise Filon hebt vermoord?'

Ze knikte ja en het had er alle schijn van dat ze zich als een furie op de man zou storten die nog steeds haar blik trotseerde.

'Hij wist dat het zou gebeuren,' zei ze eindelijk hakkelend, terwijl haar boezem gejaagd op- en neerging. 'Ik vraag me zelfs af of hij er niet op uit was, of hij niet bepaalde confidenties deed om me zover te krijgen.'

'Hebt u uw zus geroepen om zo een alibi te hebben?'

Weer knikte ze bevestigend. Maigret ging door: 'Ik neem aan dat u naar beneden bent gegaan toen u de kamer verliet onder het voorwendsel de grogs te gaan maken?'

Hij zag hoe ze haar wenkbrauwen fronste en zich afwendde van Gouin. Nu keek ze de commissaris aan. Ze leek te aarzelen, ze was zichtbaar in tweestrijd. Toen zei ze bits: 'Dat is niet waar.'

'Wat is niet waar?'

'Dat mijn zus even alleen bleef.'

Onder de blik van Gouin, die plotseling iets ironisch had, liep Maigret rood aan, want die blik betekende duidelijk: 'Wat heb ik u gezegd?'

En het was waar dat Germaine niet alleen voor de misdaad wilde opdraaien. Ze had ook haar mond kunnen houden. Maar ze praatte.

'Antoinette wist wat ik ging doen. Omdat ik er op het laatste moment voor terugschrok, is ze met mij mee naar beneden gegaan.'

'Ging ze ook mee naar binnen?'

'Ze bleef op de trap staan.'

En na een stilte, met een gezicht alsof ze iedereen wilde uitdagen: 'Jammer voor jullie, maar zo is het!'

Haar lippen trilden van ingehouden woede.

'Nu kan hij zijn harem weer gaan aanvullen!'

Mevrouw Gouin vergiste zich. Er kwam weinig verandering in het leven van de professor. Pas een paar maanden later trok Lucile Decaux bij hem in en ze bleef zijn assistente en secretaresse.

Probeerde ze het op een huwelijk aan te sturen? Maigret kwam het niet te weten.

In ieder geval hertrouwde de professor niet.

En als zijn naam weer eens viel in een conversatie, deed Maigret altijd alsof hij niets hoorde of begon hij snel over iets anders.

Shadow Rock Farm, Lakeville
*Connecticut, 31 augustus 1953*

REIGERSBOS